ORAÇÃO PARA DESAPARECER

SOCORRO ACIOLI

Oração para Desaparecer

12ª reimpressão

Grafia atualizada segundo o Acordo Ortográfico da Língua Portuguesa de 1990, que entrou em vigor no Brasil em 2009.

Capa e ilustração
Elisa von Randow

Foto de verso da capa
DR
Todos os esforços foram feitos para reconhecer os direitos autorais da imagem. A editora agradece qualquer informação relativa à autoria, titularidade e/ou outros dados, se comprometendo a incluí-los em edições futuras.

Revisão
Jane Pessoa
Paula Queiroz
Gabriele Fernandes

Os personagens e as situações desta obra são reais apenas no universo da ficção; não se referem a pessoas e fatos concretos, e não emitem opinião sobre eles.

Dados Internacionais de Catalogação na Publicação (CIP)
(Câmara Brasileira do Livro, SP, Brasil)

Acioli, Socorro
Oração para Desaparecer / Socorro Acioli. — 1ª ed. — São Paulo : Companhia das Letras : 2023.

ISBN 978-65-5921-570-6

1. Ficção brasileira I. Título.

23-164794 CDD-B869.3

Índice para catálogo sistemático:
1. Ficção : Literatura brasileira B869.3

Eliane de Freitas Leite – Bibliotecária – CRB-8/8415

EDITORA SCHWARCZ S.A.
Rua Bandeira Paulista, 702, cj. 32
04532-002 — São Paulo — SP
Telefone: (11) 3707-3500
www.companhiadasletras.com.br
www.blogdacompanhia.com.br
facebook.com/companhiadasletras
instagram.com/companhiadasletras
twitter.com/cialetras

Deixa o mundo dar seus giros! Estou de costas guardadas, a poder de minhas rezas.

João Guimarães Rosa

... assalta-me o desejo de convocar os poetas, os sociólogos, os pintores, os romancistas e os músicos do Brasil e pedir-lhes que vejam, mas vejam longamente, a igreja de Almofala. [...] *Vinde poetas e vinde sábios, vinde celebrar comigo este caso de vento e areia, e o índio disperso e a soterrada igreja.*

Carlos Drummond de Andrade,
"Areia e vento", *Correio da Manhã*,
17 de novembro de 1946

Para Júlio Camilo,
que dissolve e recria meu tempo

Sumário

PARTE I

Você trouxe todas as palavras

1.

Acordei com os olhos grudados de lama, o nariz entupido de terra e a boca cheia de areia estralando nos dentes. Alguém me enterrou. Bichos alisavam minha língua, rastejavam pelos ouvidos e por outros caminhos para dentro das carnes. Debaixo do chão era uma agonia gelada, molhada, fedida. Não sentia braços e pernas no breu daquela cova. Perdi a noção do meu corpo, achei que me transformaria em um bicho morto, me desfazendo até virar pó. Ninguém sabe o que fazer na hora da morte.

Quando eu já suplicava pelo fim, o buraco me apertou como uma mão gigante de terra, envolveu meu corpo inteiro e começou a me expulsar. Os olhos lacrados, a hora do parto, a boa hora de Nossa Senhora, as palavras se repetiam no pensamento tomado de desespero.

Comecei a sentir os músculos, ossos, nervos, minha pele toda invadida pelo espírito impetuoso de um parafuso, a forma humana preservada, não virei bicho nem pó. Girava para cima com ritmo e firmeza, sem fazer esforço, na pressão lenta da terra, cada vez mais forte ao redor do meu eixo, apertando dos lados, empurrando no meio das pernas, pelas plantas dos pés. O monstro subterrâneo estava decidido sobre meu destino: queria me expulsar dali.

Dois pares de braços surgiram cavando, falando, abrindo espaço para a luz. Buscavam por mim. Duas mãos encontraram meu pescoço, seguraram pelos lados e puxaram com força. Outro par de mãos agarrou minha cabeça. Ouvia suas vozes apressadas comentando como era pesada, cuidado para o pescoço não quebrar e matar de uma vez, puxe o braço com jeito para não arrancar o ombro, que pele fria, será que a criatura está viva? e se sair morta, o que faremos? deixa de asneira, eles saem vivos sempre, você sabe que é assim.

Os dois mudaram a estratégia e me arrancaram pelas axilas com vigor e gemidos de esforço. Atravessei a terra tossindo muito. É uma rapariga, ela disse. Passou um pano molhado no meu rosto e repetia que estava tudo bem, que era preciso calma, enquanto um homem me enrolava em duas mantas, cobria meus peitos e minhas costas. Eu estava nua, com medo e morrendo de ódio daquela mulher me chamando de rapariga. Um sopro gelado no rosto esfriou as gotas na minha pele e parecia congelar. Ainda não enxergava bem, não ouvia com clareza, achava estranhas aquelas vozes, escutava tudo sem entender nada, delirava sobre morrer.

Voltei a enxergar graças ao zelo dela, limpando minhas pálpebras com muita paciência. Meu corpo estava completamente nu e sem pelos em nenhum lugar. Passei a mão na cabeça e gritei, assustei os dois. Estava careca. Os cabelos ficam no caminho, o chão arranca, a mulher disse, mas logo vão crescer, não te preocupes. Falava o essencial e continuava limpando com cuidado, as orelhas, a pele, o pescoço, o dedo enrolado em um tecido fino cutucava os ouvidos. Suas mãos me devolviam a dignidade, seus olhos não largavam de mim.

De vez em quando ela pedia que eu não ficasse nervosa, que me acalmasse, que me daria sopa com pão, chá quente e boa dormida. Todos vocês chegam com muita fome, depois dormem uns dias, ela disse, quando acordar arranjaremos sua vida, sem susto nem espanto. Não adiantava tentar me acalmar, tudo era puro assombro. Perguntou se eu conseguiria ficar em pé e colocar meus braços sobre os ombros deles. Estava fraca demais. O homem me pegou no colo e me levou até a casa, perto da cova de onde saí.

Tentei falar, mas tossi de novo. Entramos pela porta de trás e fomos direto para um pequeno quarto, ao lado da cozinha. Os dois me deixaram em uma poltrona larga de couro marrom, forrada com alguns lençóis em um local escuro e bagunçado.

Senta-te aqui, fica parada, não sai por enquanto. É preciso permanecer mais ou menos meia hora sentada para que o sangue volte a correr direito pelo corpo e a pressão regularize, o homem explicou nesses termos. Depois deveria tomar banho. Antes de deixar o quarto ele levantou minhas duas pernas e as apoiou em um pequeno banco, também forrado com uns trapos manchados, dizendo que era para ajudar a ativar a circulação. Abriu uma maleta de couro e me examinou com aparatos de médico. Respiração. Lanterna nos olhos e ouvidos. Aperto no braço, na barriga com sua mão fria e avermelhada. Disse que parecia estar tudo bem, por enquanto, só muito suja por dentro, mas iria melhorar com os dias.

A mulher voltou com outra toalha, limpando meus pés. Eu seguia atenta às temperaturas, à benevolência dos exames do doutor, à certeza dos olhos dela. Na parede ao lado da cama havia um batente alto de alvenaria cheio de velas antigas, de cores e de formatos diferentes, ceras derretidas, retorcidas, pavios dormindo. Ela acendeu algumas antes de sair, deixou fogo e luz. Senti cheiro de estrume, passei muito tempo com aquele fedor de enterro por dentro do meu nariz, mesmo dias depois de estar limpa.

Um pouco de chá amargo, um prato de sopa e um pedaço de pão. Foi a primeira refeição que fiz com eles, enquanto me observavam.

— Deixa a chávena aqui na mesa, assim tu tomas a sopa na bandeja com mais jeito.

Eu não sabia o que era chávena. Quase bebi a sopa direto do prato, de tanta fome. Comi o pão de uma vez e ainda tossia, engasgava, mas o desespero pela comida era maior. O chá quente dissolveu a terra da garganta, um alívio.

Agora podes tomar banho, ela autorizou, arrumando na cadeira ao lado da banheira um pijama de flanela azul, de tamanho bem maior que o meu; um par de meias, um vestido preto, um casaco verde, roupa de baixo, um pedaço de sabão. Enquanto eu comia, eles encheram uma banheira com água tão quente que fumaçava, ali dentro do quarto mesmo. Faziam tudo juntos, sincronizados, pareciam treinados para aqueles gestos de cuidar de uma morta-viva. A água caía na banheira de ferro antiga e de pés elegantes. Ao lado havia uma cama e um baú.

— Demora-te no banho, lava as partes todas, esfrega-te com esta esponja. Tenho outras, arranjei um pacote quando soube que tu chegarias, podes usar tudo. Limpa os dentes, é importante tirar a sujeira das gengivas também. Descansa, depois do banho tu podes dormir, a cama está pronta.

Ela adivinhou meu desejo de falar e avisou que não seria bom fazer muito esforço nos primeiros dias.

— Eu sou Florice. Este é o doutor Fernando, meu marido. Ele é médico, saberá fazer o que for preciso para recuperar tua saúde. Depois tu me dizes o teu nome.

Seria impossível descansar com tanto nojo da minha imundície. Tirei os panos de cima de mim e entrei na banheira para passar o frio, o corpo nu, tonto e fraco, sem equilíbrio. Fechei os olhos dentro da água, a perfeição da temperatura, um lago de alívio sob a luz das velas. Parecia lógico e prudente aceitar que algo gravíssimo acontecera. Voltei a achar, dessa vez com calma, que eu estava morta. Alguém me matou e tudo ao meu redor era o além. Então era assim a Morte, uma senhora de olhos azuis chamada Florice, prestimosa, racional, um pouco apreensiva, mas jamais surpresa. Uma aberração surgiu do solo, no quintal, mas isso não alterava sua calma, como se me conhecesse.

Se fosse uma situação real, com pessoas vivas, não sei o que teria sido de mim, onde eu teria sido largada, chamariam a polícia, pensava tudo isso ao mesmo tempo, minha cabeça acelerada. Cheguei a me convencer de que talvez aquilo fosse uma área de transição, um descanso para o que viria depois. Vida e morte são mistérios que ninguém alcança. Tudo o que se fala sobre nascer e morrer é mera aposta. A morte é dolorosa, mas talvez o nascimento seja pior, e minha desgraça estava ali, entre uma coisa e outra.

Era estranho que o corpo doesse tanto, nos músculos, na pele, aquela dor de cabeça, sentir fome, sentir frio, ter a carne tão viva ainda. O desligamento das sensações viria aos poucos, devia ser assim.

Alisei meu corpo com as mãos buscando algo que explicasse o acontecido: tiro, facada, ferida, inchaço, costura, tumor. Achei um corte no braço esquerdo, fundo, do ombro ao cotovelo, e outro no pescoço, e machucados, pontos roxos, arranhões, pancadas. Os cortes maiores não sangravam, mas estavam abertos e com terra por dentro. Ardia. Eu não estranhava minha própria pele. Fui capaz de alguma maneira, apertei minhas coxas, achei tudo forte, farto, os músculos, as carnes, os seios, as pistas eram só essas. A última esperança que tinha era o corpo, minha única posse, mesmo sem saber se eu era só uma sobra de vida que desapareceria com os dias.

Mergulhei. A banheira era larga e funda o suficiente para ficar uns segundos imersa. Foi quando percebi um colar de búzios boiando, preso ao meu pescoço, cheio de areia que saía de dentro das conchas e se dissolvia na água, e que veio comigo não sei de onde, em testemunho de não sei o quê. Recobrei um pouco da lucidez. Até hoje, quando estou confusa, cuido do meu corpo, lavo a cabeça, deixo que a água me ajude a voltar para a minha pele.

A temperatura foi baixando muito rápido e tive de sair da banheira, me enxugar, vestir a roupa, as meias, calçar os estranhos sapatos de esquentar pés e abrir a porta para tentar chamá-la. Havia voz: Florice! Ela veio correndo com o marido e perguntei se eles sabiam como eu morri, se estava mesmo morta, onde era aquele lugar, tudo atropelado.

— Ela fala brasileiro — Fernando disse, sorrindo, pois para ele era boa notícia.

Perguntaram meu nome. Não lembrava. Não havia nenhum registro de resposta nos meus pensamentos para a pergunta que coloca uma pessoa na vida de outra.

Nada aparecia na cabeça, imagem, lembrança, nenhuma pessoa, isso me desesperou e eles disseram que seria melhor dormir, pois a chegada confunde as ideias, no dia seguinte eu lembraria de tudo.

— E se eu não lembrar?

— Todos lembram.

2.

A casa era um depósito dos vestígios de muitas vidas. Diante da porta do quarto, havia uma sala pequena. Das marcas retangulares nas paredes imaginei os quadros. Uma máquina de costura em silêncio, uma cadeira sem assento e uma espessa camada de poeira, que denunciava abandono. Um piano de madeira escura servia agora apenas como a prateleira de retratos desbotados de casais, mulheres, homens, crianças que partiram deste mundo muitos anos antes.

Ao lado vi outra sala, um pouco menos suja. E vi Fernando. A mesa posta contrastava com o cenário ao redor porque, no meio dela, havia uma flor. Uma garrafa branca com água e uma rosa amarela de Almofala, como eu saberia depois. Um dos dois saiu no frio para buscá-la e dar outra ordem ao lugar do nosso pequeno-almoço.

Florice estava cozinhando enquanto uma mulher cantava no rádio. Fernando puxou uma cadeira para mim. A menina conseguiu descansar? Sentiste alguma dor na cabeça, no corpo, estás bem? O sono foi reparador, sim, mas não resgatou nenhum traço de memória. Ele perguntaria isso a seguir e já adiantei que não recuperei nada.

Interrompeu o exame, mudou de assunto, alinhou a colher com a mão direita, o garfo com a esquerda e contou que o capricho da mesa era graças a uma mala de apetrechos trazidos pela esposa. Toalha de mesa, copos, chávenas, pratos, talheres, tudo era deles. Florice só sabe estar cercada de beleza, ele disse, só anda com as coisinhas dela. Os dois perfumados, penteados, bem-vestidos. Especialmente ele, Fernando, e sua inabalável elegância e olhar sempre atento a todos os meus gestos. Não era só cuidado; havia curiosidade e um pouco de medo, um sentido de alerta.

As bagagens estavam no chão, uma mala aberta e outra fechada. Perto delas, um pacote enrolado com plástico preto e barbante, em cima de um cobertor dobrado, parecia um bebê morto e preparado para um enterro. Não tive tempo de perguntar o que era, nunca esqueci a sensação que me causou aquele embrulho, aterrorizante como um choque frio. Durou segundos minha vista ali, logo Florice encheu minha xícara de café e o cheiro me acordou. Só depois de tomar metade e de comer algo comecei a falar e a fazer perguntas: como fui parar naquele lugar, o que aconteceu, se eu estava morta, se ela era a Morte e ele era Deus, ou a Morte e seu auxiliar. Os dois riam, achavam divertida a minha confusão. Até que veio a sentença:

— Você trouxe todas as palavras.

Foi Fernando quem disse. Perguntei de novo o que tinha acontecido comigo e Florice foi direta: sabemos muito pouco sobre isso, só recebemos o aviso de que alguém chegaria no chão deste lugar, e foi preciso correr para o teu resgate. De repente estávamos concentrados em falar a sério sobre todo aquele absurdo.

— E como vocês souberam?

— Recebemos um telefonema.

— E o que disseram de mim? Não explicaram nada?

— Nada. Foi uma conversa breve. Mandaram que viéssemos à Almofala, esta aldeia, buscar uma mulher e desligaram o telefone. Nós já sabíamos que iria acontecer um dia conosco, mas demorou muito. Abrimos o mapa de Portugal, eu e Florice, e vimos seis aldeias com o mesmo nome, cada uma menor que a outra, seria um código? Almofala é uma palavra árabe, significa acampamento temporário. *Al mohala*. Os mouros foram deixando muitos pelo caminho. Ficamos sem saber o que fazer, imaginamos mil sentidos, uma senha, um enigma. Estávamos perdidos.

— E como descobriram?

— Recebemos outra ligação pedindo desculpas pela confusão e explicando que era a Almofala perto de Caldas da Rainha.

— E só?

— Só. Falou do pó de café, mas disso eu já sabia.

— O que pó de café tem a ver com isso?

— Quando se recebe o aviso da chegada do Ressurrecto a gente joga pó de café no lugar onde quer que a terra se abra, ajuda no caminho. Meu avô fazia assim porque alguém disse a ele.

— Ressurrecto? Eu sou isso?

— É como meu pai chamava. Pessoas que iam morrer, mas por um triz escaparam e voltaram à vida em outro lugar.

— E qual o sentido disso?

— A menina ainda não percebeu que quase nada na vida faz sentido? Algumas coisas são obrigatórias, é preciso fazer e já está. Desde pequena eu sei que temos de jogar o pó de café no terreno e aguardar a criatura que vai chegar, receber, cuidar de todas as maneiras até que a pessoa vá embora por decisão própria, são as regras. E entre um acontecimento e outro, rezar para que nada de mal nos ocorra. Achei que não aconteceria mais, que por algum motivo eu poderia estar livre, mas tu vieste. Se a gente começar com isso de entender ninguém termina mais essa conversa e temos muito a fazer.

— Quem ligou, era homem ou mulher?

— Mulher. Apresentou-se como Regina, nada mais.

— Quem é essa Regina? Por que ela sabe de mim?

— Não faço ideia, menina, nunca a vi na vida. Ela só disse essas coisas e desligou. Falava rápido demais, um entusiasmo de ideias, mas consegui entender e cá estamos. Chegamos semana passada e arranjamos esta casa. Fizemos vigília para esperar teu desenterro, obedecendo à ordem da razão mística que nunca entenderemos, como dizia meu pai.

— Mas por quê? O que vocês querem comigo?

— Queremos nada. É uma obrigação a cumprir, só isso. Salvamos a tua vida, a menina deveria agradecer.

Florice tentou encerrar a conversa, aborrecida, irritada, resmungando. Ficou me perguntando se eu queria algo mais, que era bom comer bastante pois devia ter perdido vitaminas. Da bruma ao corpo, de novo. Fernando retomou a conversa:

— Lembraste teu nome, uma letra, um som?

— Não.

— Vais lembrar. Mas escuta: esta casa não é nossa, como já expliquei. Não somos daqui, alugamos só para te receber e já vamos embora amanhã. Ainda dá tempo de passear um pouco pela aldeia, tu precisas andar para reequilibrar a circulação, funções vitais. É necessário.

— Eu vou ficar aqui?

— Não, claro que não. Vamos te levar para a casa da irmã de Florice, no Norte. De lá seguimos a nossa vida, tu segues a tua e não estarás desamparada nesse começo. Moramos em um apartamento em Lisboa, na casa de minha cunhada tu terás mais conforto. Ela vive sozinha, vai gostar da tua companhia, já falamos com ela. Depois tu decides teu destino, quando lembrar. Alguns voltam para casa, outros ficam, é escolha tua, mas por enquanto é nossa responsabilidade cuidar de ti até que essa fase de confusão passe.

Então eles cuidariam de mim, mas eu deveria seguir a minha vida em breve. Eu, que não sabia que vida tive, sem pistas daquilo que fui e não sei. Voltei para o quarto, peguei um dos casacos, o verde, de veludo, e calcei um par de botas que cabiam três pés dentro de cada uma.

Na porta, Fernando disse que iria comigo caminhar, mas que seria rápido para não despertar a curiosidade das pessoas. Almofala era uma aldeia pequena, uma e outra casa habitada, com roseiras no jardim, flores saindo dos muros, datas antigas sobre as portas, tomada por gatos peludos de todos os tipos.

A maioria das construções estava abandonada. O som das pedras sob nossos sapatos quebrava o silêncio frio e triste. Estávamos no alto de uma montanha, o cume do mundo, o mais perto possível do céu.

Dobrando à esquerda da casa vimos uma igrejinha no alto, em formato triangular, vazia e de portas fechadas. Um homem que arrancava mato das pedras do muro veio falar com Fernando. Entendi que se conheciam do primeiro dia, trataram do aluguel, ele perguntou se estava tudo bem na casa, acho que tentava entender o que fazíamos ali, porque metralhava as perguntas olhando para mim. Fernando explicou que procurou uma aldeia tranquila e alta para uns dias de descanso com a sobrinha doente.

Para evitar seu olhar estupefato, achei prudente subir os degraus, entrar na igreja e me sentar um pouco, mas estava trancada. Havia uma rosa vermelha no batente, fresca, recém-colhida. Talvez deixada por alguém que iria levá-la para algum santo e deu com a porta fechada.

Os dois conversavam e o homem falava de Almofala, contava que os idosos foram morrendo e que as famílias nunca voltaram para reclamar as casas, que tudo morria junto com quem partia e talvez fosse culpa das almas do fosso, os mortos da Santa Inquisição. Os enforcamentos aconteciam ali, os corpos eram jogados lá — ele apontava com precisão, colocando seus olhos nas palavras para explicar a geografia do desterro, sem precisar a data, parecia um ato de sempre, enforcar, jogar no buraco da morte.

Dei a volta para não ouvir mais. Encontrei uma portinha lateral, talvez estivesse aberta. Quando subi os degraus, todas as portas começaram a sacudir, várias mãos ao mesmo tempo, um movimento orquestrado pelo vento. Continuei subindo e com mais um passo, mais de perto, estavam sacolejando a madeira com violência, implorando para sair, mais forte e mais alto. Isso acontecia com a porta principal, a lateral e as janelas, sincronizadas, e teria de ser, então, trabalho de umas tantas pessoas. Eu ouvia um murmurar de longe, confuso, tive medo, mas os homens conversavam normalmente, não pareciam ouvir nada. Desci correndo e escorreguei na areia.

Fernando olhou para mim espantado, ajudou-me a levantar e adiantou nosso retorno, sem entender meu susto, minhas palavras desconexas, em voz bem alta, repetindo que estavam tentando abrir as portas e as janelas, que era preciso salvar as almas presas dos enforcados. Alguns moradores começaram a aparecer pelas ruelas, e o rumor da forasteira louca já estava se espalhando, pelo visto, coisa fácil de acontecer em um lugar morto, onde nunca há novidades e são tão poucos os vivos. Despediu-se explicando ao homem que precisava cuidar da sobrinha doente, que já iríamos embora. Voltei para casa chorando e amaldiçoando o fosso vazio da minha memória.

3.

Despertei quando Florice bateu na porta e me chamou para tomar um chá de tília, prometendo que acalmaria minhas ideias, sem que ela mesma estivesse tranquila. Lembrei de sonhos confusos que tive, cenas cortadas com facas, um homem muito perto de mim, falando alto. Acordei assustada com os gritos dele, furioso dentro do sonho, misturados às batidas dela, suaves.

Enquanto demos quatro passos lentos até a mesa, contou-me que descobriu um pé de tília no quintal e estava contente por isso, era seu chá preferido. Tomamos muito em Portugal, ela explicou, abrindo espaço para esse assunto sem qualquer interesse ou relação com a tragédia que eu vivia, como se estivesse tudo bem.

Fernando me aguardava à mesa, com um caderno e uma caneta em mãos. Florice também. O dela era gasto, velho, uma capa de papelão azul-marinho dobrado e desdobrado, com as pontas já se desfazendo. O dele, um caderninho novo, de capa vermelha. Sua fala foi um percurso de coisas numeradas, organizadas, a única ordem que meus pensamentos conseguiram obedecer. Combinaram aquela conversa. Decidiram sobre o que cada um falaria e até que ponto poderiam me dizer coisas, um evento ensaiado.

Primeiro ele repetiu que não perdi as palavras, voltou a esse ponto com insistência, olhando nos meus olhos, pausando a voz para que eu entendesse que aquilo era sério e importante, poderia compor meu tempo, determinaria o meu futuro, eu não tinha percebido ainda. Alguns chegam mudos aqui e só voltam a falar meses depois, meu caso era um intercurso improvável e milagroso. Ele me pediu para acreditar, pois só isso me ajudaria a resolver tudo mais rápido, lembrar quem sou, voltar para casa. Estava viva, não morri, sobrevivi ao insólito.

Segundo: meu passado poderia aparecer nos sonhos e eu precisaria anotar com muita dedicação, em detalhes, mesmo que parecesse uma coisa sem sentido ou sem importância. Eu iria lembrar de tudo em algum momento. Os sonhos guardam o que é nosso e nos devolvem quando precisamos, ele disse, contando que pelos caminhos de dentro as memórias voltaram da viagem escura.

— Escreve tudo no caderno. Sabemos que é difícil para ti não lembrar nada da tua vida nem das pessoas. Não perceber o que te aconteceu é devastador, mas os outros chegaram quase sempre mudos, soltando grunhidos que ninguém entende, latem, miam, um festival de horrores. As palavras vieram, isso é muito bom, mas tem paciência. É como reconstruir uma cidade depois de um terramoto. Tu te desfizeste, foi uma categoria de morte, mas não daquelas que encerram a vida. É uma ressurreição, entendes?

Claro que eu não entendia. Eu acreditava nele, havia um esforço sincero para me fazer perceber, muito profundamente, que me entregava uma chave importante para seguir, mas eu me revoltava.

— Quem são os outros todos?

Florice ouvia tudo de cabeça baixa, olhando seu caderno, prestes a explodir com minha irritação, apertando os lábios, controlando o ânimo, apressando os gestos e a ponta dos dedos contornando a borda da capa, com unhas pintadas e bem cortadas. Fernando sustentava o olhar em mim. As tarefas entre os dois estavam bem divididas: ela cuidava do meu corpo por obrigação e ele, dos pedaços de alma que levei, por caridade.

Perguntei também o que achavam que aconteceu na igrejinha da aldeia, ela disse que pode ter sido alguma confusão mental, é comum no meu estado. Além de rapariga, sou louca, era isso que ela pensava de mim, essa égua do meu ódio. Não havia nada lá, as portas estavam imóveis, ele garantiu, olhou com atenção, não escutou coisa nenhuma. Tive certeza de que muitas pessoas queriam sair de lá de dentro, mas eles disseram que eu não me importasse, que os primeiros dias e meses eram assim mesmo, aconteciam fatos inexplicáveis.

— Ou eu posso ser louca. Se não sabemos de nada, posso ser qualquer coisa.

— Os Ressurrectos chegam sempre confusos. Eu conheci muitos loucos na vida e os piores estavam sempre convencidos de que eram ótimas pessoas — Florice resolveu falar.

— O que é ser Ressurrecto, afinal? Por que isso aconteceu comigo?

— Já te disse antes. Significa quem morre sem morrer, enterrados que saem da terra. Não é qualquer morto, são os escolhidos para isso. Quem começa uma vida nova. Meu avô repetia exatamente isso quando tocávamos no assunto. O que aconteceu contigo é parte da história da minha família há anos, um absurdo que nunca entendemos, quase um delírio, não contamos para ninguém, sempre foi nosso segredo. Tu não podes falar nada, percebes? Nunca poderás falar. Os que chegaram para nós estão registrados neste caderno. Cada um com uma origem diferente.

— Sempre saem da terra?

— Os que chegam para minha família, sim. Tu és a vigésima oitava e a primeira mulher. Mas meu avô falava que havia outras formas de chegar.

— Esse corte no meu braço, no pescoço, essas marcas e pancadas, vocês sabem o que foi? Estou muito ferida. Quem me enterrou, quem fez isso comigo?

Não sabiam. Fernando quis dizer algo, mas Florice tocou sua mão e o interrompeu. A sensação se repetiria muitas vezes: ele ficava prestes a dizer qualquer coisa que ela não permitia. Ela abriu o caderno e passou as páginas. Nome, data de chegada, data de saída, algumas linhas a mais. Mostrou muito rapidamente. Na página vinte e oito havia a data e a hora do meu desenterro, descrição física, pouca coisa.

Recebi o caderno vermelho em branco e prometi me esforçar. Eu saberia anotar? Se dependia de mim, garanti que iria fazer o certo: escrever os sonhos.

— Não sei se isso vai ajudar em alguma coisa, meus sonhos são ilusões de cabeça confusa.

— É o contrário. Só o sonho é real.

Ele explicou mais uma vez, com paciência, que alguns dos Ressurrectos que conseguiram voltar para as suas casas de origem, seus países, foram os que perseguiram as pistas dos sonhos, de forma consciente ou vaga, mas era o único jeito de voltar. Os Ressurrectos sempre têm fortes motivos para fazer a viagem, ele disse.

— E qual teria sido meu motivo?

— Deve ter alguma relação com as tuas cicatrizes. Foram cortes fundos, quem fez isso queria o teu mal. Tu lutaste uma batalha violenta, isso é certo.

— Eu morri e recebi outra chance por qual motivo?

— Não sabemos, realmente, mas aconteceram absurdos, era o pai de Florice quem contava os casos. A esta altura da minha vida sei que qualquer coisa é possível. Não sou mais ingênuo de acreditar que uma ordem única rege tudo, ou que nossa cabeça pode entender os desígnios do mundo. Não pode. Só nos resta aceitar e seguir vivendo porque estamos nessa aventura às cegas. Todos nós. Quando a gente acha que entendeu tudo, o caos aparece para relembrar que não somos coisa nenhuma.

Depois dessa conversa eles não queriam dizer mais nada, mudaram o tema, entramos no modo prático da vida: arrumar objetos, organizar a bagagem, estudar a rota da viagem pelo mapa. Partiríamos para a casa de dona Fátima, cunhada de Fernando, mas antes iríamos passar uns dias em Lisboa. Mostraram o mapa de Portugal, a travessia que faríamos até lá, o nosso lugar naquele país, pequeno e estreito na Europa, o nome do continente, ele explicava como se eu fosse criança. Pediram desculpas por não mostrar o mapa do Brasil, não o tinham em mãos. Levavam o de Portugal pela necessidade.

A rota de saída de Almofala passaria por São Clemente, Venda da Costa, Venda da Natária, Cumeira da Cruz, Chões, Alvorninha, Chiote, Zambujal, Vila Nova, Outeiro, Casal do Rei, Casais da Boavista, Ribeira de Crastos, Carrasqueira, Vidais, Mosteiros, Trabalhia, Matoeiro, Imaginário, Caldas da Rainha. Eu guardei esse papel, deixei dentro do caderno, por isso sei os nomes até hoje.

Os dois tinham gosto de apontar no mapa os lugares onde nasceram, onde viveram, onde estão seus parentes, os sítios mais bonitos, as viagens, as paisagens. Falaram da muralha de Óbidos, da casa que alugaram com uma laranjeira cuja copa invadia a janela do quarto quando eram jovens e comemoravam o terceiro ano de casamento. Adoravam o Porto, Coimbra, Sintra, Mafra, Aveiro, Braga, decorei alguns nomes mas estava cansada, não era um bom momento. Eu não estava ali porque escolhi. Desejaram que eu aproveitasse a sorte de renascer em Portugal. Não conseguia ter essa ideia tão bem-acabada de renascimento, mas gostava do esforço para me alegrar.

Antes de ir embora fui ver de onde saí. O buraco estava coberto e Florice plantou uma muda de oliveira em cima, contou que trouxe de casa, era um ritual de chegada dos Ressurrectos que seu avô ensinou. Aninhou a mudinha na terra enquanto eu me recuperava na primeira noite, diz ela que isso me ajudou e eu nem sei. A árvore absorveria o que ficou de mim pelo caminho.

Deixamos a casa de carro e vimos que o movimento nas poucas ruas estava diferente. A igrejinha de Almofala só abria uma vez a cada três meses. Um padre de Caldas da Rainha passava o fim de semana na aldeia, atendia aos pedidos de batismo, confissão, extrema-unção, exorcismos e casamentos, tudo junto, os sacramentos, as ilusões da vida, a certeza do fim. Já estávamos de saída, todos no carro, mas Florice pediu para descer e rezar um pouco.

Era um padre jovem. Sentia-se bem porque Deus o escolheu como pároco de Almofala, aquela terra de sofrimentos, e ali ele percebia com mais força que sua vocação se cumpria, ele disse. Engraçado, de Deus eu lembrava. É preciso ter muita fé para achar que foi Deus que cuidou dos detalhes banais da vida terrena, mas era o que eu sentia naqueles dias, a crença também veio comigo, mesmo que depois tenha se perdido.

De portas abertas e cheia de gente, a minúscula igrejinha encrustada em um triângulo trazia Almofala de volta à vida. A missa já estava em andamento quando entramos e nos sentamos no penúltimo banco, do lado esquerdo. A pequena interrupção gaguejante e o olhar do padre fizeram com que todos virassem para nos ver, um trio estranho. Um casal elegante, uma moça careca e malvestida olhando o mundo com visível perturbação.

Minha audição alcançava os sussurros desde a primeira fila e ouvi os comentários:

— É essa aí a rapariga.

— O aluguel da casa foi pago por um mês, mas só ficaram alguns dias.

— Disseram que iriam embora pelo agravamento do estado de saúde da enferma.

— Será que é cancro?

— Não, parece lunática, minha mãe tem uma prima assim, eu percebo de longe.

— Pobrezinha, é jovem ainda. Não sabemos que tipo de doença.

— Estou convencida de que é lunática.

Fiquei na ponta do banco, de cabeça baixa, fechei um pouco os olhos para ouvir o canto, a música em coro improvisado, a voz do padre em destaque, aquilo era familiar e me trouxe conforto. Meu transe de paz só foi interrompido por uma mulher que chegou perto de mim, com um menino. O povo todo cantava olhando para o padre, já tinham esquecido de nós, menos eles. A mulher e o menino. Menos aquele outro homem na janela. Menos o jovem, na outra janela. E as duas idosas, gêmeas, muito magras e com fiapos de cabelos brancos e longos, quase um emaranhado de teias e poeira da cabeça até os ombros, uma cabeleira só para duas pessoas. A mulher com o menino olhava muito séria e, enquanto eu a observava, não percebi que chegou ao meu lado uma menina de uns sete anos, tão junto de mim que falou baixo, no meu ouvido com um movimento discreto:

— Já vais?

Sorri para ela e disse sim. Sorri para as outras pessoas em pé, nas janelas. Não responderam o cumprimento, apenas olharam para mim. A cor e a forma as distinguiam dos outros da igreja e então entendi.

Não sei o que fui antes de esquecer tudo, mas no momento em que me concentrava naqueles corpos descobri que era capaz de ver os mortos. Não era espantoso, deve ter sido sempre assim, a ideia não me deu medo, mas era angustiante. A menina continuava ali e disse que iria comigo.

É difícil lembrar dessa cena, tenho vontade de chorar. Isso tudo, os primeiros dias. Eu retomo a sensação de sufocamento. Se você não se importar, eu gostaria de fazer uma pausa agora para beber água. Estou contando muito rápido?

— Não te preocupa, estou a gravar. Aceitas um sumo de laranja?

— Só água, obrigada. E talvez uma taça de vinho. Mas veja: dos primeiros dias lembro algumas coisas com detalhes, mas depois da saída de Almofala os acontecimentos foram diferentes. Não sei se vou conseguir continuar da mesma maneira, quase minuto a minuto.

— Talvez o caderno ajude. Anotaste os sonhos, certamente.

— Sim, anotei o que foi possível, aos poucos tive sonhos mais longos, mais claros, em alguns tive certa lucidez. Aqui está o caderno.

— Gostaria de ver, quando for possível. Será importante para o meu trabalho.

— O senhor não tem perguntas?

— Sim, mas o correto é sempre escutar primeiro.

4.

Fernando pediu que eu tentasse dormir durante a viagem para evitar certa indisposição. Disposto e indisposto eram palavras que ele usava muito para classificar o estado geral das pessoas de acordo com a saúde, o humor, a qualidade do sono, a reação dos órgãos às alterações de temperatura, a alegria, a esperança, a situação do nariz. Tu precisas sonhar para ter algum alívio, ele quase suplicava. Era sempre um assunto muito sério o tema dos sonhos, quase um tratamento para minha salvação. São os delírios do desvelo que vão te salvar, ouvi muito essa frase até decorar, delírio e desvelo. Não sei se eu sabia dessas palavras antes.

— É bonito.

— O quê?

— Delírio do desvelo. Soa familiar no meu trabalho.

— Confesso que sua profissão me impressiona, você é muito calmo para um criminoso.

— Não é tudo crime, só uma parte. E o delito bem-feito é arte, exige paciência. A frieza e o autocontrole são os segredos dos estrategistas bem-sucedidos. Continua a contar, por favor, nosso tempo é curto para tantas coisas. Então começaste o caderno de sonhos nesse dia?

— Sim. Abri o caderno pela primeira vez e não estava totalmente em branco, havia uma frase na primeira página, no meio: Livro das Visões. Não era a letra de Florice, eu tinha visto quando abriu o caderninho e passou as páginas na minha frente. Ela escrevia com ondas, curvas, uma caligrafia muito enfeitada em contraste com a dele, de linhas retas, três palavras. Livro das Visões.

Na segunda página comecei:

Saí de um buraco na terra da Almofala, em Portugal. Estava nua e careca, só usava um colar de búzios. Não sei o meu nome. Fui salva por um casal de idosos. Tenho cortes e marcas de violência no corpo. Sou brasileira. Consigo ver os mortos. Não lembro de nada. Acredito em Deus.

Anotei essas palavras e guardei o caderno, era o que eu sabia sobre mim até ali. Estávamos no carro a caminho de Lisboa, um automóvel limpo e bem cuidado que Fernando dirigia. Florice consultava o mapa de vez em quando. Eu obedeceria à ordem de dormir de qualquer maneira, estava quase sempre muito cansada no primeiro mês, outubro, disso me lembro bem, a sensação de cansaço permanente, de sono, tontura, corpo fraco.

Foi em trânsito que começou a temporada dos tais delírios do desvelo. Abrir o caderno acionou algum mecanismo, e comecei a sonhar. Na primeira vez tive um sonho que me pareceu muito longo, com cenas entrecortadas. Vi as mãos de uma mulher furando búzios pequenos, enfiando o fio por eles, organizando o universo, pois as coisas brilhantes no céu se movimentavam no ritmo dos seus braços. A mesma mão pequena abriu a barriga de um peixe morto e tirou um búzio maior lá de dentro. Lavava na água de sal, enxugava e o colocava no meio, mas o sangue das mãos não saía.

Era um rei dentre os outros, mais marrom, mais brilhante. Seguiu com os búzios menores do outro lado até arrematar o arco completo. Estava pronto o colar, igual a este aqui, que veio comigo. Abaixei a cabeça e ela colocou o presente no meu pescoço, falando coisas que não entendi, eu não reconhecia aquela fala. Pude ver seu rosto, era um sonho de boa luz. Fiz esforço para identificar qualquer coisa, o lugar, a voz... O delicioso som do mar.

— O marulho.

— Sim, o marulho. Só pude descobrir que ganhei o colar de uma senhora de quem eu gosto muito. Senti amor por ela, imenso amor, quando a abracei. Ainda posso sentir, era como saber tudo, enxergar tudo, ouvir tudo, depois dali eu poderia vencer qualquer guerra insurgente, era pura força em um abraço. Chegaram outras pessoas, era ela e outra, depois outra e outra, muitas me abraçavam sem que a mulher saísse do lugar, todas sangravam, eu também, confusa, tempo embaralhado. Elas queriam falar comigo, eu afundava em muitos braços, uma festa silenciosa, voltando ou partindo, não sei se era um adeus ou se me recebiam de volta, se riam ou se choravam. Puseram o peixe morto no mar e ele voltou a viver, saiu nadando e deixando sangue na água azul. Passei muito tempo fantasiando o retorno, seria assim, mas às vezes pensava se não era a preparação de partida, o sonho trazendo uma lembrança. O vento era forte, perturbou minha vista, desligou meus ouvidos e eu acordei, dentro do carro, com a esperança de que eu voltaria, de que ainda me esperavam na praia.

Meu rosto no reflexo do vidro do carro. Acordei e vi, não pareço com ela, a mulher do outro lado da minha vida. Desejei que tivesse dito alguma coisa, o primeiro sentimento depois do sonho foi de ter perdido tudo de novo. Procurava sangue nas mãos. Tinha esperança de lembrar de mim, queria que as memórias voltassem pelo caminho certo. Talvez elas ainda estivessem atravessando o mesmo buraco sob a terra por onde viemos eu, meu corpo, minhas palavras e meu colar de búzios.

Quando Florice percebeu que acordei ficou conversando comigo, tentando mostrar mais ou menos em que ponto do mapa estávamos. Eles disseram várias vezes que queriam me levar a um lugar muito importante quando chegássemos a Lisboa. Riam um para o outro, comentavam baixinho, brincando de fazer segredo. Pelos cálculos precisos de horário e distância, ainda seria dia claro e daria tempo, sim, de ir até lá.

Cochilei várias vezes ao longo da viagem, mas foi possível perceber como estavam mais leves e bem-humorados na volta para casa. Ouviam música bem baixinho, cantarolavam de vez em quando. Meus ouvidos são sensíveis demais aos sons. Naqueles primeiros dias tive certa dificuldade com o tempo, nunca lembro bem quantas horas durava cada situação. Ainda não sou muito boa nisso, em quantificar minutos, perco rápido tudo o que passa, meus pensamentos são um labirinto infinito, eu vou e vou e vou e não sei mais nem por onde voltar. Despertei de vez chegando a Lisboa, gostaria de continuar dormindo em um canto silencioso, mas aconteceu exatamente o contrário.

Paramos o carro e precisamos andar alguns minutos. Os dois caminhavam de mãos dadas um pouco à minha frente, e aquela cidade deu ao par uma nova energia. Pareciam outras pessoas, a Morte e o Vice-Morte estavam bem vivos ali ao lado do rio.

Pelo cansaço e desconforto dos sapatos, eu estava sempre uns bons passos atrás. Usava um vestido preto, que pelo tamanho certamente não era dela, e nem sei onde ela arranjou essa roupa. Levou na mala para Almofala junto com tantas coisas, a muda de oliveira, comidas, utensílios, aquilo que me serviu. O vestido era estranho, mas ao menos o tecido grosso e o casaco verde por cima me protegiam do frio. Não me vi no espelho, não tenho um retrato desse tempo, não sei com o que eu parecia, daquele jeito, de chapéu, tão despreparada para andar em público. Olhavam para mim e dava vontade de dizer que se enxergassem, cada um mais estranho que o outro, deveriam cuidar de suas vidas.

A névoa de Lisboa cobria meus olhos, podia ser alguma doença na vista ou a perturbação normal da minha situação. Perto das pessoas apareciam sombras e massas de luz, isso me incomodava, eu gostaria de não ver nada estranho, queria descansar, parar em algum lugar tranquilo e esperar um momento, esperar até uma paz qualquer se acomodar em mim, mas nada me sossegava. Gostava de respirar o vento fresco, apesar da sensação ruim.

Eles pareciam satisfeitos com minha companhia e descobri, nas conversas posteriores, que não tiveram filhos. Estavam felizes naquele passeio, mesmo andando com uma criatura que não pertencia a nada e atraía olhares de espanto.

O lugar que eles queriam me mostrar com tanto gosto e entusiasmo era a Torre de Belém. Paramos em frente e eu não vi nada de tanta emoção, mas fingi meu melhor sorriso. Era bonito. Fernando iniciou um discurso solene ao explicar que dali partiam as caravelas que descobriram o Brasil, que dali os destinos de Brasil e de Portugal se encontraram, o nosso fado. Ele explicava tudo com detalhes, orgulhoso, professoral, tentando dar sentido ao que me aconteceu, e eu estava exausta, achando muito penoso ouvir a palestra, sem energia, cansada, querendo que tudo aquilo acabasse logo, mas fazia de conta que prestava atenção. Sou brasileira e acho que isso sempre foi a coisa mais importante a descobrir direito, o que é isso, o que trouxe comigo que só existe porque sou uma criatura do Brasil.

Olhando a torre antiga, dos homens antigos, dos países antigos e das caravelas que não existem mais, eu só pensava em restaurar a força do meu corpo. Algo naquele discurso me incomodava demais, mesmo reconhecendo a boa vontade do homem. Era um esforço para me dar algum sentido, alguma noção de ordem, mas não me agradava em nada, parecia a lógica de um castigo.

Pedi para me sentar na grama ou ir embora logo. Ele seguiu falando que era o lugar onde nossa história começou a se cruzar pela primeira vez e depois nos cruzamos de vez com minha chegada, uma Ressurrecta, tentando mostrar que devia existir alguma ligação entre as duas coisas.

Florice contou que seu pai achava que os Ressurrectos voltavam para onde deixaram um pedaço perdido da sua alma. O espírito é um só, entra e sai dos séculos, os corpos nascem e morrem e as partes da alma vão se espalhando, ela revelava. Não tive energia na hora para ir além, fazer mais perguntas. De vez em quando eu lembrava que ela me chamou de rapariga, não tinha esquecido, guardei a mágoa, ficava pensando no motivo. Para que isso? Para que chamar de rapariga logo no primeiro dia?

— Em Portugal isso não é insulto. Rapariga é o mesmo que moça, no Brasil, mulher, é um modo normal.

— Não ria, hoje eu sei, estou contando tudo da forma como aconteceu, não foi o que o senhor me pediu? Naquele dia eu estava indignada porque lembrava da palavra como insulto, a memória dos significados ficou intacta. Mas isso era o menos importante, eles me tratavam bem e tiveram responsabilidade com minha vida, não sou ingrata. Até ali o que me chocava mesmo era ter sido enterrada viva, com tanta crueldade, não sei se os outros Ressurrectos também foram. Eu tinha certeza de que algo ruim tinha acontecido antes, não parecia uma travessia para resgate de pedaço de alma, nenhuma busca espiritual, era uma tragédia violenta. Não tenho como saber quando, se faz muito tempo, se ainda estão vivas as pessoas com quem sonhei. Não sei, por exemplo, se a travessia obedeceu ao fluxo dos dias. Pode ser que eu tenha voltado no calendário.

— Pode ter sido um salto temporal para qualquer lado.

— Talvez eu nunca saiba.

— Tua vida tem sido enganar Chronos, amar a Kairós.

— Não conheço essas criaturas. Não sei quem amei ou enganei.

— Volta ao relato do passeio em Lisboa, por favor. Não te perca nos meus comentários, eu também tenho um labirinto na cabeça.

Pois, todos temos.

Ainda na Torre de Belém, fiz muito esforço para parecer interessada quando elogiavam a bravura e a inteligência dos navegantes. Contaram tudo, que o Brasil já era habitado por selvagens, que existem cartas contando a saga heroica, a descoberta da beleza dessas terras, que aconteceram lá as mortes mas é assim mesmo na história das civilizações, os povos invadem, matam por necessidade e novos mundos se descobrem, Portugal também sabe disso, foram muitas invasões.

— Eles não dizem por mal, é o que está nos livros.

Na verdade lembro quase nada do que disseram, só tontura e palavras soltas, confusão. Minha cabeça às vezes funciona como uma fábrica impiedosa de pensamentos massacrantes.

Fomos embora da Torre porque eu não me sentia bem e eles acharam que era fome, tontura, doença, precisávamos comer alguma coisa. Decidiram jantar no Bairro Alto e me apresentar ao bacalhau com migas e ao vinho da casa; fui aprendendo o nome das comidas, me ensinavam tudo ao mesmo tempo, a história de Lisboa, os pratos tradicionais, o terremoto, o que é Península Ibérica, os mouros, os azulejos, o castelo de São Jorge, as Sete Colinas, e eu só precisava de silêncio. E comida. Estar de barriga cheia me deixava bem.

Fernando me tratava como se eu fosse uma criança que nasceu adulta, pronta para capturar o mundo todo em poucos dias, porque em breve a vida me cobraria algumas coisas, foi o que eles me disseram. Eu seria portuguesa e precisava perceber Portugal. Perceber uma nova vida em Portugal.

A refeição durou muito tempo, foi decisiva. Seria necessário definir algumas coisas antes de chegarmos a Aboim da Nóbrega. A irmã de Florice já estava sabendo de tudo, já tinha conhecimento dos Ressurrectos desde criança, mas para facilitar as coisas seria bom inventar uma narrativa que fosse convincente para os outros, a casa vivia cheia de amigos, sua vida social era intensa.

Precisamos escolher seu nome, ela disse.

Perguntaram de novo se eu não lembrava de nada, uma letra, um som, se seria palavra curta ou mais longa, nada. Nada. Sobre o Livro das Visões, queriam saber se havia algo novo. Nada. Expliquei o borrão dos sonhos, comecei a chorar mais uma vez, o peso de ser uma névoa. Fernando olhou nos meus olhos:

— Eu tenho uma sugestão desde que chegaste. É o nome que meu coração diz quando olho para ti.

— E qual é?

— Cida. Não só porque tu chegaste assim, mas porque gostamos da história de Nossa Senhora Aparecida a um menino em Portugal que era mudo e começou a falar. Há outra no Brasil, acho que fica bem.

— É assim que falamos de ti entre nós. Já dissemos para minhas irmãs que tu tens cara de Cida.

Aceitei ser Cida, por puro cansaço. Fiz que sim, sorri de leve. Levaria a marca deles dois comigo, já que fizeram meu parto da cova. Não tinha por que recusar o nome novo, não me restava nada além de aceitar que as coisas teriam de seguir de alguma forma. Cida era um nome neutro, pois vinha do modo absurdo como cheguei aqui, no sentido deles, evocava milagre. E se era deles que vinha a ajuda e a salvação, muito justo o batismo, muito saudável ter um nome até que eu lembrasse do meu.

Havia uma alegria sincera naqueles gestos de proteção, mas Florice mantinha uma constante nuvem tensa sobre os olhos. Nele eu confiei desde o primeiro dia, apesar da sensação de que gostaria de me dizer mais e não tinha permissão. Quando eu perguntava inúmeras vezes aos dois sobre o esquecimento, eles respondiam que eu já deveria ter recordado algo, sim, mas que não há regra exata para nada disso, em todos os casos as pessoas acabam se lembrando logo. Depende do trauma, do tempo, do modo. Não poderiam garantir, o que tinham em mãos eram as histórias anteriores, que nunca me contaram direito. Àquela altura eu já sabia que não estava morta, pelo menos, tinha um resto de vida, precisava mesmo desse nome.

Fomos então ao apartamento deles, no Largo de São Carlos, número 4. Anotaram em um papel para que eu tivesse em mãos, caso precisasse. Decorei, de tanto medo de me perder.

Passaríamos uns dias em Lisboa para descansar e resolver alguns assuntos. Os vizinhos do quarto andar viajaram para a África do Sul e deviam tomar providências sobre o aluguel do apartamento, esse era um dos temas. Precisavam também comprar presentes para as irmãs de Florice, fazer um reparo na torneira, que estava pingando, e eu acompanhava tudo. Dormi no sofá do pequeno escritório do dr. Fernando, ali seria meu quarto.

Nessa primeira noite em Lisboa tive um sonho cego.

Eu não via o rosto, mas sabia que um homem examinava o maior búzio do meu colar com dedicada atenção. A ponta dos seus dedos era macia e mansa, alisava demoradamente o marrom estriado do búzio, salpicado como as costas de um bicho do mesmo mar de onde eu vim. Dentro do silêncio, sua respiração me contava que ele não tinha nenhuma pressa de interromper o que fazia, era o gesto mais necessário da sua vida; a ponta dos seus dedos fazia estalar faíscas na minha pele. Guardei algumas frases: corpo de areia, praia de pele morna. As lembranças são confusas nesse sonho porque eu não vi nada, tudo de que lembro está nos ouvidos e na pele, senti muitas coisas. Eu sabia que era noite porque não enxergava, estávamos suados, vivos e muito perto um do outro. Não saíamos do lugar, nada nos tiraria dali. Os dedos chegaram à cena do sonho subindo pelas conchinhas miúdas, devagar e aos poucos, as duas mãos, até que, no pescoço, escolheram destinos diferentes.

Primeiro a esquerda andou vagarosa para minha nuca até enfiar os dedos e fechar os cachos na mão forte e lentamente para não me deixar duvidar nem por um segundo do tanto que me queria. Eu estava careca, ainda, mas foi nesse sonho que fiquei sabendo sobre como seriam meus cabelos quando crescessem.

A outra mão foi para o meu lábio superior, quase sem tocar, desenhando uma onda ao lado da outra, uma boca de concha, acho que disse isso, foi um sussurro pequeno, foi quase segredo, penso que sorriu. O sonho foi seguindo, ele se aproximava e eu acendi como uma estrela de muitas pontas. Explodi, acordei como quem cai do céu. Era tudo meio avermelhado ao redor, a luz do sol, as paredes, vários cavalos-marinhos no teto que caíam, mas começavam a nadar depois, muitos, muitos, e eu caía com eles.

— Um artifício libidinoso muito sofisticado do teu inconsciente.

— Sonhei várias vezes com as estrelas-do-mar, vendo estrelas ou transformando o corpo em uma delas. Eram recortes abstratos, não informavam nada, mas as sensações me deixavam muito perturbada. Escrevi tudo no Livro das Visões. O que importa é que havia um homem na minha vida. Não tenho meu nome, nem o dele. Fico pensando se ficou lá me esperando, se chora minha morte.

— Ou se foi ele quem tentou te matar.

— Já pensei nisso.

— É um belo sonho, de qualquer forma.

— No fim eu anotei: "Quero sonhar de novo, quero que ele diga seu nome. Pedi que dissesse, pedi que voltasse. Ele tem que voltar".

— E o que descobriste sobre ele?

— Que me amava muito e me fazia explodir como uma estrela. Nada mais.

5.

Foram dias cansativos em Lisboa, sempre muitas coisas a fazer. Andei com eles por vários lugares e aos poucos gostava da cidade pelos detalhes que meus olhos capturavam no caminho. Uma predominância de azuis, amarelos e brancos, as coisas simples do cotidiano das pessoas, vasos de flores nas sacadas, desenhos nas placas, flores por todo lado, o cheiro e o gosto das comidas, isso me trazia alguma calma. De tanto encher meu coração com a beleza, esqueci de sofrer.

Os planos na cidade incluíam a compra de algumas roupas para mim, uma mala e os cuidados comigo. Na primeira noite, enquanto ajudava a arrumar a bagagem, o badalar de um sino muito perto dali me fez chorar. Compulsivamente e sem explicação. Fernando tentou ajudar:

— Não deve ser fácil, Cida, percebo que tu sofres. Além das palavras, não perdeste os sentimentos, mas é difícil sem saber de onde vêm. Infelizmente os Ressurrectos são sempre confusos. Muitos são agressivos, chegam a ser violentos. Mas és boa. Tens os olhos de uma mulher forte e boa. E por que os sinos, não é? Isso precisa ser anotado.

Por que os sinos? Ele puxou uma cadeira, sentou-se diante de mim. Florice chegou. Tive coragem de perguntar a ela, de novo, o que eles sabiam mais sobre as pessoas que saem da terra, os Ressurrectos.

— A menina não cansa de perguntar a mesma coisa? Eu não sei, essa é a resposta mais honesta que posso dar. Desde que sou pequena escuto a tal palavra, mesmo assim é uma incógnita. De vez em quando meus pais nos levavam para casas alugadas, para descansar uns dias, mudar de ares, mas hoje entendo que era para buscar Ressurrectos. Aos seis anos eu estava brincando no quintal, sozinha, e aconteceu algo que me assustou. A terra começou a remexer assim por baixo, abrindo, deslocando e foi rápido que a coisa surgiu na minha frente. Nunca esqueci daquele primeiro homem que vi saindo da terra, como se fosse uma planta, o parto de um bicho. Um homem nu, todo sujo, atordoado, agarrado a uma arma. Não tinha hora para acontecer e, se ele não estivesse no lugar para recolher a pessoa e levar para o quarto, poderia virar uma confusão. Faz parte da missão proteger o Ressurrecto, apesar do risco.

— Que risco?

— Já aconteceram coisas terríveis. Nenhum Ressurrecto chega deixando uma vida fácil para trás, é o que tenho percebido. A menina mesmo, chegou cá toda magoada de cortes e pancadas. Antes de morrer, meu pai pediu que eu não deixasse de continuar anotando o registro. Não sei o motivo, se algum dia a ciência vai chegar e nos investigar, se vai atrás de todas as pessoas, se vamos ser presos, se por um acaso isto é um crime, mas ele levava essas anotações muito a sério. Eu obedeço, por isso tenho aquele caderno com o nome, data de chegada, tudo o que podemos saber, anotados por ele e por outros membros da família.

— Essa arma me deixa intrigado, Florice. Todos que cá chegaram, dos que eu soube, trazem um objeto na mão, um pano, uma arma, qualquer coisa.

— Eu não cheguei com nada.

— Como não? Chegaste com o colar de búzios. Não recordaste nada sobre ele? — Florice lembrou, agitou-se, levantou-se do sofá, olhou para Fernando com reprovação, retomou a arrumação das coisas, mais uma vez querendo encerrar. Ela nunca deixava que o tema se prolongasse além do limite imposto por ela mesma, da necessidade daquele dia, e minhas perguntas pareciam sempre desconfortáveis.

— Não, mas sonhei. Primeiro era uma senhora fazendo o colar e me entregando. Depois era um rapaz beijando os búzios, um por um.

— Um rapaz? Então tu tens um amor! — Florice sorria, olhos mais azuis.

— Ele deve pensar que morri.

— Tu não tens nada a fazer além de anotar os sonhos e seguir a tua vida aqui. Trabalhar logo que possível, juntar um dinheiro, esperar que as memórias voltem para que tu possas retornar, é o que deve ser feito.

— O que aconteceu com eles todos, dona Florice? A sua família tem ou teve contato?

— Dos que sabemos, todos lembraram da vida anterior em alguma altura e nenhum passado era simples. Nunca é. Mas vamos voltar ao presente: o sino que badala aqui ao lado é da Igreja dos Mártires. Precisamos dormir para pegar a missa bem cedo amanhã. Talvez tu estejas precisando de Deus.

— Alguma pergunta até aqui, senhor. Félix? Acho que estou falando rápido demais.

— Gostava de voltar ao tema do rapaz. Sonhaste mais vezes com ele?

— Muitas vezes. Deitados em uma cama não sei onde, conversando, uma luz vermelha, alaranjada, sempre. Seus pensamentos e os meus eram iguais e eu lembro de rir muito. Não faço ideia do assunto. Lembro da sua voz e de uma parede onde via alguns cavalos-marinhos pendurados, pequenos, delicados, sustentando por cima e por baixo, posicionados como se estivessem em movimento. Por vezes eram imensos, já sonhei estar com eles na barriga, ou estar dentro da barriga deles, e eles voavam. Os cavalos-marinhos voltam sempre aos meus sonhos.

"Do rapaz, muitas coisas. Vi seus olhos muito perto de mim. Senti o mesmo estalo grandioso da outra vez, as estrelas caindo, estrelas-do-mar no teto do quarto terroso. Tive a certeza de que eu vim de uma praia. Pelos búzios, cavalos-marinhos, estrelas-do-mar. Durou poucos minutos, sonhar era como andar sobre uma fumaça frágil, eu caía sempre. Às vezes me iludia na esperança de ser uma cena do futuro que meu sonho mostrava."

— Muitas vezes, sim. Existem os sonhos premonitórios, são comprovados. Salvam vidas, evitam acidentes.

— No meu caso não eram premonitórios. Se fossem eu estaria lá, não aqui.

— Ainda tens um futuro, mais prudente aguardar para ter certeza.

São sonhos borrados, não têm muito mais nitidez que isso. Abria os olhos e sentia sua falta constantemente. Ele não estaria comigo nos dias a seguir e sua existência parecia a alegria da minha. Na vida real, em Lisboa, ganhei roupas bonitas. Um vestido do meu tamanho, uma saia, duas blusas, meias-calças, para aquecer, um par de sapatos adequados, e agora andava como uma pessoa que fazia parte do mundo. Ganhei também um vidro de lavanda, um sabonete, um creme para os lábios e um par de brincos. Estava frio naquele outubro.

A falta de cabelos ainda atraía olhares, mas aos poucos eu não sabia se me olhavam mesmo por isso ou porque me achavam uma criatura exótica como um todo. O vendedor da loja de doces perguntou de onde eu era. A mesma coisa na floricultura e na conversa com sua vizinha. Meu rosto não era familiar aos portugueses. Sou brasileira, e logo confirmavam, pois sim, pensei mesmo que fosses brasileira.

Gostei de ir à missa com Florice. Na primeira vez o padre leu o Evangelho de São Marcos, sobre Jesus expulsando o Demônio do corpo de um homem. Pedi à dona Florice que me explicasse aquilo tudo e ela me contou o que aconteceu com Jesus. Nasceu de uma mãe pura, fez coisas fantásticas, morreu, depois voltou da morte e foi embora, mas continua entre nós. Basta chamar. Não acreditei que fosse tão fácil falar com ele, e realmente não é, exige fé, merecimento, bondade, persistência, oração, tudo isso ela me disse, espantada com minha ignorância cristã. Você não deve ser católica, ela disse. Acredita em Deus, mas não tem respeito pelo filho Dele.

Não é que eu desrespeitasse, ao contrário, pensei que Jesus não acharia estranho o que aconteceu comigo e certamente ele saberia explicar tudo, por isso insisti nessa tentativa de rezar. No começo Florice riu, depois teve raiva, achou que eu estava faltando com respeito, mas não era isso. Jesus morreu e viveu, foi enterrado, apareceu de novo. Era morto, mas estava vivo, também deve ter sido confuso para todos, até hoje não parece fora do normal? Quanto mais eu falava, pior ela reagia.

Diante da polêmica achei melhor não mencionar, mas também pensei muito no Diabo, se talvez não era a força dele que estava conduzindo meu enterro e meu desenterro, a cicatriz no meu braço, a maldade de quem fez isso comigo. O Demônio também fez coisas impressionantes, como ocupar o corpo alheio, o padre disse. Eu não poderia, naquela situação, negar a existência do Mal no mundo. Claro que o Mal participava da minha vida, está na vida de todos nós. Ela disse que falar comigo era como ensinar a uma criança, "mas tu pensas demasiado, tens uns entusiasmos de ideias fora de lugar", ela reclamava, bem irritada. Por isso achei melhor interromper as perguntas.

Só tentei ficar de olhos fechados na igreja o máximo que pude, porque aconteceu de novo. Estava cheia de mortos, deitados nos bancos, andando, rezando, chorando, falando baixo, é impressionante que as pessoas não sintam e não vejam se são tantos em todos os lugares.

Eles se sentam perto, olham dentro das bolsas, puxam cabelos, ficam rindo das pessoas, ou às vezes choram, seguindo alguém que talvez conheçam. Fantasminhas de crianças brincando, empurrando pessoas que escorregam e dão topadas sem entender como. Velhos padres com roupas estranhas transitavam como se fossem os donos do lugar, eu reconheceria se soubesse a história de Portugal. Se eu tivesse a paciência de perguntar os nomes, de procurar fotos e documentos, seria a pessoa mais famosa do país. Ou seria trancada em um asilo, sempre há o risco. Aquela igreja estava especialmente lotada e por isso não notaram que eu os via, ainda bem, porque talvez eles pedissem ajuda e eu não queria me envolver com gente morta, nessas horas eu duvidada se estaria mesmo viva.

— Não tiveste medo?

— Não. Desde a primeira vez pareceu natural.

— Tanto quanto ver os vivos?

— Mesma coisa. Exatamente a mesma coisa.

— Mas eles sabem coisas que não sabemos. Já atravessaram, podem contar sobre isso. Se eu tivesse essa vantagem de falar com quem morreu, meu trabalho seria muito mais fácil.

— Disso eu tinha medo, de falar. De fazer perguntas naquela altura. Eu me sentia fraca demais nos primeiros meses. Aceitava que conduzissem a minha vida, sem pensar, por exaustão.

— Ainda vês os mortos até hoje?

— Sim.

— Nunca tiveste vontade de perguntar as coisas de tua vida?

— Não chegou nenhum fantasma conhecido. Eu não evoco, só vejo quem está.

— Eu gostava de ouvir mais sobre isso, mas me preocupo com o tempo. Preciso saber de tudo ainda hoje para começar o trabalho amanhã. Tens um prazo, não?

— Sim, uma viagem. Eu tenho uma data-limite para resolver o assunto e conto com a sua ajuda.

— Volta à convivência com Fernando e Florice, por favor.

— Tentarei ser mais direta.

Combinamos que pegaríamos um trem de Lisboa até Braga e assim chegaríamos ao Norte do país, como sempre me explicava Fernando. No caminho inteiro ele foi me localizando no mapa, explicando as cidades uma por uma e me comovi quando vi o mar, a praia deserta, ninguém além da areia e aquela água que me separa de onde eu vim.

Foi quando ele contou sobre as ondas gigantes de Nazaré. Sobre o milagre de Fátima, onde Nossa Senhora apareceu para três crianças. Portugal tão pequeno se comparado à Espanha, ali ao lado, mas na voz de Fernando parecia infinito. Sua vida de médico o levou a conhecer muita coisa, aldeias esquecidas, histórias de fé, dos santos, da tradição. Entendia da comida, das bebidas e dos cantos do povo.

Florice estava dormindo e também nos acomodamos para descansar um pouco. Adormeci e sonhei com ele de novo, o rapaz sem rosto de sempre. Foi um sonho longo.

Naquele quarto terracota, a poeira vermelha nos cercando, o teto cheio de estrelas-do-mar, os cavalinhos pelas paredes, estávamos na cama juntos. Eu ouvia o som de outro sino. Não lembro de nenhuma palavra, só do gesto de ele me entregando um cavalo-marinho. Meus fiapos de memória são minha glória e meu castigo.

No sonho eu vi seus olhos muito de perto novamente. Dessa vez não sorriu. Havia um rio passando por trás deles que desaguou. A água nos separava e isso é a nossa verdade, temos um mar de esquecimento entre nós. Pela primeira vez meu corpo aparecia inteiro e eu me via pelos olhos dele. Soube que sou bonita porque ele me disse. Soube porque ele não parava de cumprir os verbos que escrevia com as mãos na minha pele, deitava as frases e as obedecia, mas ele chorava e chamava as ondas que invadiam o quarto avermelhado, como um tsunâmi.

Acordei chorando também, pensando se ele sonha comigo, se as coisas que ele diz e faz ainda reverberam na sua pele, se ele também acorda com os estalos. Foi a primeira vez que pensei nisso, na possibilidade de fazer do sonho um fio entre nós, abuso da minha frágil consciência.

Pensar nele era uma esperança, imaginar se lembrava de mim, se sabia tudo o que esqueci. Eu acreditava no amor como um espírito que descola do peito e segue pelas ruas, entra nas casas, derruba as coisas, faz o que for preciso para dissolver todas as trapaças que separa os que se amam. Fosse correto meu desatino, os amantes sempre teriam seu dia de sorte e os amores dariam certo por lei. Nada prova que ele existe, disso parte a absoluta incerteza sobre tudo que vivo enquanto durmo. Mas eu o amava muito quando sonhava com ele. E meu corpo o encontrava nos sonhos, eu sentia tudo dos sonhos, o fogo, o desespero, a explosão e a paz.

— Ainda sentes isso tudo?

— Não. Estou lembrando como foi na época. Aos poucos parei de sonhar com ele. Parei totalmente.

— Em algum sonho soubeste algo mais sobre esse homem? Nome, traços, palavras, qualquer coisa?

— Nunca. Não tenho qualquer informação além da lembrança dessas sensações e detalhes do lugar. Há tempos eu nem sequer pensava nisso, relembrei para contar porque o senhor me disse que qualquer coisa era importante.

— Esqueceste dele por causa de Jorge?

— Por causa do que vejo nos olhos de Jorge.

6.

— Ele veio jogar as cinzas da mãe no rio do ouro.

Jorge entrou na minha vida no momento em que ouvi esta frase. Quem disse foi Fátima, irmã de Florice. Explicava que ele avisou que viria para deixar as cinzas da mãe no rio do ouro e ficaria uns dias, e isso foi, para todos, uma surpresa muito feliz. Eu não o vi nessa hora, o nome dele chegou antes, sonoro, gostoso de dizer: Jorge. Perguntaram se ele estava bem, parecia que sim, sempre foi forte, mas sentia muito a falta da mãezinha. Ele chegaria logo, foi buscar o carro na frente da rodoviária, assim ficaria mais fácil levar as bagagens. Depois soube que era o rio Douro, claro, mas na hora escutei um pouco diferente.

Compreendi essa frase no meio de uma confusão de vozes na chegada à Braga.

Quando falavam rápido eu não entendia nada do português deles, nada mesmo, todos ao mesmo tempo, era uma massa de vozes. Uma palavra ou outra saltava, desisti de compreender. Ocupei meu tempo carregando as malas e bolsas que levamos com presentes, roupas, comidas, coisas, todos se abraçando e com tanto a dizer e eu atordoada por tudo, tentava ser útil e silenciosa para disfarçar meu desentendimento.

Não sabia que eram trigêmeas. Três Florices abraçadas, idênticas, vestidas com os mesmos tons de sobriedade mas diferentes nos detalhes, reagiam ao encontro com choro ou riso, nisso variavam, mas eram iguais e falavam ao mesmo tempo. Maria Florice, Maria de Fátima, Maria de Lourdes estavam juntas de novo para comemorar os setenta anos de suas vidas. Cada uma viveu setenta, eram então duzentos e dez anos, faziam a conta o tempo todo, gostavam de comparar quem fez mais isso ou aquilo, riam das próprias asneiras.

A casa para onde iríamos era o lugar onde nasceram e viveram com os pais. Florice e Lourdes mudaram por causa dos trabalhos dos maridos, mas Fátima quis ficar. Sempre quis estar em Aboim, cuidar de tudo, limpar as lápides dos familiares no cemitério, a guardiã dos mortos.

Falavam rápido, aos sobressaltos, até que Jorge chegou. Veio dirigindo a carrinha de Aboim até Braga para nos buscar, caberíamos todos. E ele está aqui? Sim, veio jogar as cinzas da mãe no rio do ouro, essa foi a sequência exata do diálogo entre eles. Acho importante falar tudo sobre Jorge a partir de agora. A entrada dele na minha vida transforma muitas coisas.

— E é por causa dele que estás aqui?

— Sim. Porque ele sabia do seu trabalho. Poucos sabem, não é?

— Poucos, sim. Preciso dos clientes, mas não sou fácil de encontrar. Tenho de mudar sempre de lugar para que não me encontrem. Não é uma vida fácil. Continua, Aparecida, já temos de encerrar a entrevista de hoje, mas preciso saber sobre Jorge.

Pois, esse dia da chegada pareceu durar umas quarenta horas, de tão intenso. Só percebo agora, que preciso recontar. No caminho Florice me avisou que Fátima era a mais interessada nos Ressurrectos. Olhou para mim pela primeira vez perguntando qual seria meu nome, afinal, porque sabia que cheguei sem nada.

— Aparecida, como combinamos — Florice respondeu por mim.

— Eu sei, mas a menina precisa de um sobrenome, acho que pode ser Reis. Aparecida dos Reis, que tal? Se gostam, está bem, pois foi assim que ficou registrado no caderno da prefeitura, já está lá seu nome como voluntária no projeto dos bordados minhotos. Não pediram documentos, eu mesma anotei.

— Fátima é mesmo engraçada — foi Lourdes quem disse. — Ela arranja tudo como quer, faz de conta que está pedindo uma opinião e segue do jeito que acha certo de qualquer forma. Sempre foi assim.

Florice era uma mulher de pensamento prático, concreto, uma dona de casa impecável, maternal, cuidadosa, legado de uma vida como enfermeira. Fátima era conectada com o mundo, com as causas ao seu redor, não gostava de cuidar de casa, queria estar sempre cercada de pessoas e de movimento. Lourdes, um amor de criatura. Distraída, filósofa, batizou a fábrica de vinhos do marido com o nome Beijos de Beber, uma mulher com a cabeça constantemente acima das nuvens, lendo, pensando.

Já eu não tive tempo de pensar, de dizer sim ou não, perguntar o que é isso de bordado minhoto, já estava decidido que essa seria minha ocupação em Aboim, além de ajudar Fátima com a vida na casa, no alto de uma colina naquela vila de poucas casas e de frio lancinante. Isso tudo foi tratado na estrada entre Braga e Aboim, fui comunicada. Queria chamar dona Fátima, por respeito, mas ela não permitiu.

Quando o cansaço calou a todas por um tempo, fez-se silêncio e pude ver o Minho pela janela. Na frente de todas as moradas havia uma construção alta, comprida e estreita, com uma cruz em cima, e cheguei a achar que eram túmulos. Perguntei por que enterravam as pessoas assim, no jardim, na frente de casa. Pareceu piada.

— São espigueiros, menina. Nada trágico ou dramático, apenas espigueiros onde se armazenam cereais.

Claro que a resposta foi de Fátima. Riram de mim, da minha primeira vez no Minho, desconhecendo tudo. Jorge tentou ser discreto, mas também riu e olhou pelo retrovisor. Era jovem, usava óculos escuros, não pude ver direito o seu rosto, mas vi seu tamanho, um homem que ocupava todo o espaço, as mãos firmes na direção do carro, as pernas, olhei o que pude, tentei ser discreta, mas tempos depois ele disse que percebeu que eu esticava o pescoço. Ele nos deixou em casa e teria de ir resolver algo com urgência, não pude ver direito.

Só consegui ter um pouco de paz à noite, antes do jantar. Quando chegamos à casa levamos muitas horas descarregando todas as bagagens, fazendo comida para mais tarde, e logo entrei na rotina porque isso era mais fácil do que tentar conversar ou entender qualquer coisa. Arrumei a mesa para seis pessoas, sem fazer as contas, porque assim mandaram. Ocupava-me com o leva e traz de pratos e taças, mais vinho, até soar a campainha com a chegada do sexto convidado que faltava.

Era Jorge, com três ramalhetes de flores e uma cestinha de queijos e geleias. Não trouxe vinho como manda o costume português porque sei que nessa casa só se toma Beijos de Beber, ele disse, sendo coberto de abraços por todos. Só então reparei que era este o nome de todas as garrafas de vinho da casa, as vazias e as duas caixas cheias, Beijos de Beber.

Apresentaram-me como Aparecida enquanto eu estava na cozinha, lavando copos e taças. Florice falou que me desenterraram em Almofala e me assustei, derrubei uma taça e quebrei dentro da pia, não esperava esse assunto. Fernando explicou que poderíamos falar dos Ressurrectos naturalmente enquanto estivéssemos a sós, a família e eu. Jorge é da família. E disse que não valia a pena sofrer por aquele enigma imenso de ressurgir em outra terra, não tem muito o que remoer sobre isso, é assim. A mãe de Jorge era prima das Marias, sabiam de tudo.

Quando por fim nos sentamos para jantar o assunto era a minha vida. As duas irmãs já sabiam dos detalhes: que eu falava desde o primeiro dia, que não tinha nenhuma memória além dos sonhos, da reação emocional ao sino e ao mar, das pistas esparsas que guardo sobre mim. Minha esperança era de que Fátima tivesse alguma informação sobre o que eu poderia fazer para me salvar, mas minha ausência total de lembranças também a espantava. Sua opinião sobre os Ressurrectos era muito prática e concreta: era preciso levantar e seguir até que alguma verdade fosse revelada. Sem jamais parar a vida, porque tudo acontecera por um esforço do destino para que eu pudesse continuar vivendo. Há o destino, mas há a vontade, ela disse. Morrer teria sido mais fácil que atravessar um túnel de terra, há um motivo para que esta sua vida prossiga.

Em geral vocês todos se lembram de tudo em algum momento, ela continuou, as coisas começam a voltar, pouco a pouco, nos sonhos, depois um jorro de lembranças; os nomes das pessoas, dos lugares, costuma ser assim, mas sua porta está fechada. A porta da sua memória não abre daqui, é preciso ter paciência, retomar a vida de outro jeito. Fátima falava disso enquanto passava um pedaço do pão no azeite e enchia a taça de alguém, como se quase morrer, nascer de novo, sair da terra não fosse coisa de sofrer ou de ter angústia.

Quando comecei a perguntar o motivo, a razão de tudo, o sentido de estar ali sem lembrar, sendo alguém que perdeu o poder sobre a própria vida, vi o quanto Fátima é uma mulher menos paciente que a irmã. Interpretou como se me queixasse deles e me disse que eu deveria agradecer porque estava sendo acolhida em uma família onde eu poderia caber, um dia, se merecesse fazer parte, se aprendesse que o destino é forjado pela faca do segredo, que há golpes e erros e que para todo corte há uma cura. Jorge olhou assustado para mim, adivinhando meu constrangimento. Foi a primeira vez que cruzamos olhares. Eu tinha mesmo vontade de chorar, mas de raiva, não de tristeza. Vontade de responder, de dizer desaforos, mas não podia e, no mais, ela tinha toda razão.

Daquele ponto da minha vida, ela disse, ou eu aceitava as mãos que me tiraram do buraco, moldando meus meses iniciais a uma nova modalidade de vida, ou saía rumo ao nada. Existem Ressurrectos por todos os lados e poucos tiveram a minha sorte. Muitos estão no meio das ruas contando alto de onde vieram sem que ninguém acredite, sem que ninguém diga para onde ir.

Emendou lembrando da matéria de jornal que leu sobre um pedinte em Istambul, que explicava em francês sua história, de como apareceu na Turquia sem fazer ideia do que o levou até lá, mostrava o buraco de onde saiu, virou atração pela loucura, coitado.

Cada palavra era um golpe seco, uma sinceridade dolorosa, a dor da verdade da minha condição, sem nenhum alívio ou disfarce, sem camadas, a verdade crua de que estou perdida no século, no tempo, no vácuo de uma existência sem nome, essa coisa que nos faz gente eu não tinha, a ideia de pátria e de ser parte da história, eu não tinha. Ainda não tenho. Era preciso aguardar mais um pouco, confiar na possível benevolência do destino.

Até lá eu seria Aparecida dos Reis, disse Lourdes, tentando acalmar os ânimos, levantando um brinde a mim. Era a mais silenciosa das três, mas agiu com muita sensibilidade para que mudássemos o assunto. Depois brindamos ao aniversário delas.

Contaram que isso aconteceu, o nascimento de três meninas, porque sua mãe via sempre três andorinhas pousadas no galho de uma árvore do jardim de sua família, quando estava grávida. Era este o bordado de um pano colorido em cima da lareira, emoldurado. Relembravam as histórias da infância, algumas coisas eu não entendia; quando falavam todas ao mesmo tempo a conversa virava uma massa de sons confusos.

— E o Jorge, como está levando a vida?

Enfim um pequeno vale de silêncio para que Jorge pudesse falar de Catarina, sua mãe. Ele me olhou. Disse que achava por bem me explicar, se apresentar a mim, aquele homem todo, de voz grave, adocicado pela gentileza. Desde o começo notei sua atenção comigo, uma curiosidade impossível de disfarçar. Sua mãe era prima das três, cresceram juntas em Aboim até que ela foi estudar em Coimbra. Casou-se com um diplomata moçambicano e mudaram para a África, onde Jorge nasceu e cresceu, até vir estudar em Lisboa. Catarina ficou na Ilha de Moçambique. Entendi sua história enquanto ele falava do pedido da mãe, dos lugares onde deveria jogar as suas cinzas.

O primeiro era em Aboim, na casa onde tinha nascido. O segundo, no rio Douro. O terceiro era mesmo na Ilha de Moçambique, diante da capela de Nossa Senhora do Baluarte. Jorge tinha um mundo inteiro dentro dele, seus tataravós eram macuas e, mesmo não tendo sido criado com eles, entendia da religião, dos antepassados, esse era o tema do seu doutorado, a história dos macuas.

— Não tenho data certa para voltar. Estou arrumando a casinha para escrever minha tese aqui em Aboim. Preciso desse tempo de solidão.

Fernando quis saber sobre a tese e assim começou um passeio pela mente de Jorge nos guiando pelo mundo inteiro, falando não só dos macuas, mas de lugares que conheceu, das coisas que viveu com seus pais e sozinho, das suas viagens por todo o continente africano, das lembranças da mãe, da sua adoção, das iguarias estranhas que comeu e bebeu, da vontade de abrir a cabeça para o total, sempre olhando para mim, para todos. Eu não estava entendendo muito bem, de vez em quando eu levantava, pegava um prato, levava uma taça, trazia uma garrafa, mas uma frase ficou marcada para mim: "O barco de cada um está em seu próprio peito". Era um provérbio macua.

Aceitei o vinho, o Beijos de Beber, fiquei tonta rapidamente. Aceitei receber aquela noite como um alívio. Sabia que dali em diante tudo iria mudar. Jorge tomou conta da casa, aos poucos sua voz encheu os espaços, elas o adoravam como se ainda fosse um menino. Ele as reverenciava como se fossem a marca de vida de sua mãe, respeitava Fernando com brilho nos olhos e eu participava de um encontro daqueles destinos. Até que Jorge começou a falar comigo de novo.

— Eu conheço o Brasil, Aparecida. Estive no Rio de Janeiro e em Minas Gerais.

— Ela não lembra de nada, a pobrezinha, nem adianta — Lourdes apressou-se em me salvar, um pouco bêbada.

— Sim. Uma Ressurrecta. Lembro do dia em que avisaram da sua chegada. Vocês lembram? — Jorge disse.

— A chegada de Aparecida? Avisaram a quem?

— Ao senhor Afonso, seu pai. Não disseram o nome, mas é ela. Acho que eu tinha uns dez anos quando estive aqui de férias com meus pais. Chegou um homem, sentaram-se ali no sofá. Já se conheciam, parece que por carta. Deu a notícia de morte de uma pessoa e depois disse que trazia um outro recado, que uma mulher brasileira surgiria na família, alguns anos adiante. Foi uma previsão bem adiantada, pois Cida chegou vinte e cinco anos depois. Seria a última Ressurrecta, a primeira mulher e com ela terminaria a missão de vocês, e o senhor Afonso levantou as mãos para o céu, assim, dando graças. Não sei se havia mais algum detalhe, a senhora se lembra, dona Fátima?

— Nunca tinha ouvido falar disso, vocês sabiam?

— Chegando a Lisboa vou procurar na caderneta de meu pai, ele tomava nota de tudo. Há uma parte em que escreveu muitas coisas que conversava sobre os Ressurrectos, mas nunca li. A caligrafia é muito atrapalhada, mas justo a mim ele confiou o caderno — Florice respondeu.

— E justo para a senhora chegou Aparecida — Jorge sorriu.

Jorge e seu conhecimento, sua presença no dia do anúncio da minha chegada; ele e sua memória, sua seriedade e gentileza, era a primeira chave das descobertas que eu precisava fazer a partir de então.

Disfarcei a angústia apressando a limpeza dos pratos que já estavam na pia. Pedi licença para começar a arrumar as coisas, eu sentia a obrigação de colaborar, todos perceberam, é claro, mudaram de assunto. Combinamos o dia seguinte, a reunião seria às duas da tarde. Não sei que reunião era essa, mas meu nome estava lá e eu deveria ir. Precisávamos dormir. Todos levaram as coisas para a cozinha, arrumamos depressa o que foi possível. Doze mãos cuidam bem de uma casa. Jorge foi embora depois de abraçar a todos e acenar de longe para mim.

Um quarto só meu, o mais alto, todo em madeira, miúdo, o mínimo para viver. Adormeci rapidamente de tanto cansaço e consegui sonhar.

O primeiro sonho em Aboim da Nóbrega me despertou no meio da madrugada. Uma missa parecida à que ouvi na Igreja dos Mártires, não tão tranquila, não tão em ordem, havia uma confusão, as badaladas do sino, alguma coisa aconteceu, fora da igreja as pessoas se arrumavam em círculo. Anotei no Livro das Visões que talvez meu corpo não fosse cristão, constantemente tocava uma música na minha cabeça mas eu não reconhecia as palavras, só a melodia, que relembrei por inteiro. Cantei para adormecer de novo, chamar a calma, chamar o vento, chamar qualquer coisa que me desse esperança.

Não consegui mais dormir depois do sonho porque pensava em Jorge, no pequeno baú de cinzas de sua mãe que ele carregava, na missão de jogar parte a parte em vários lugares, refazendo o trajeto do seu amor. A voz de Jorge estava espalhada por toda extensão da minha cabeça vazia, desocupada de memórias, tudo só para ele, só para os detalhes do seu corpo, as mãos, o porte de caçador, de repente meus pensamentos já eram outros, esqueci dos Ressurrectos, dos sonhos, só tinha para mim o eco daquela voz, as palavras, macua, Moçambique, o sotaque dele, seu olhar pousava em mim com atenção, ele me enxergou a noite inteira. Paixão e feitiçaria são obras do mesmo fogo.

7.

— Não é raro que um idoso morra sozinho em sua casa nas montanhas e seu cadáver seja descoberto semanas depois, sentado na cadeira diante de uma mesa de jantar bem-posta, ou na cadeira de balanço, assistindo a uma televisão que desliga pela falta de pagamento da luz, acompanhado dos corpos mortos dos cachorros ou dos gatos de estimação, fiéis até o último dia. Morrem de frio, pobrezinhos, às vezes de fome ou chamados pela misericórdia divina. A existência dos velhos pode ser muito solitária por causa do abandono das famílias. Não se pode chamar os parentes à força, o amor é algo que não se cobra. E eu convidei vocês aqui e fiz vossos cadastros no projeto porque encontrei um jeito de ajudar essas pessoas quando a luz da vida está prestes a apagar.

Fátima falou isso tudo diante de um círculo de mulheres atentas. Algumas mais velhas, vestidas de preto com lenços na cabeça. Outras moças bem jovens, talvez da minha idade — seja lá qual for, mas parecíamos na pele, no corpo, na energia. Éramos dezesseis.

— Ao mesmo tempo — ela continuou —, temos nessas casas baús cheios de preciosidades, o nosso bordado minhoto. Eles contam a história da vida dessas mulheres. O Minho é um dos pedaços de Portugal que mais lhe trouxe belezas. O coração de Viana, o galinho de Barcelos e os lenços dos namorados — isso ela disse olhando para mim, a estrangeira. — A tradição está se perdendo nesses baús esquecidos. Quem sabe o que os herdeiros fazem? Jogam fora, talvez, a juventude não conhece a tradição dos lenços.

"A ideia do projeto era que nós, os participantes, fôssemos regularmente de casa em casa visitando as pessoas. Quando fizéssemos as visitas, diríamos que estamos em busca dos Lenços dos Namorados, se não há nenhum escondido em um baú velho, um guarda-roupa no porão, qualquer armário antigo. Explicaríamos que vamos fotografar para copiar, enquanto faríamos também um levantamento da situação das pessoas em suas casas, para ajudar, ganhar confiança aos poucos, chegar perto devagarinho.

Eu não sabia o que eram os tais lenços dos namorados até que Fernando explicou na hora do almoço."

As moças de antigamente não podiam estudar, passavam o dia cuidando dos afazeres das casas, do pastoreio dos bichos e aprendiam a bordar como parte das coisas básicas da vida. Nas horas vagas da noite elas faziam os seus bordados em fronhas, lençóis, toalhas, mas também bordavam às escondidas quando o amor chegava. Era a hora de sonhar, de pensar nos desejos de carinho, de aliviar o coração.

Os lenços eram objetos preciosos porque continham um pequeno poema que declarava o amor. Levavam meses bordando à luz de velas, escolhendo os desenhos e os versos, quase sempre em galaico-português, porque ali já era quase outro país, o Norte de Portugal já faz fronteira com a Espanha e por isso a mistura de idiomas na poesia dos lencinhos.

Depois de fazer tudo elas criavam coragem e entregavam o lenço na missa de domingo. Esperariam até o domingo seguinte para saber a resposta. Se o rapazinho exibisse seu pedido de amor no bolso da blusa ou da calça, estava aceito. Se não gostasse da menina, poderia apenas devolver com uma mesura, mas alguns assoavam o nariz, pisavam em cima e tal humilhação era difícil de superar. Havia uma moça chamada Rita, ele contou, que ao ver seu lenço pisado e cheio de catarro decidiu ser freira.

— Eu conheço a tradição dos Lenços, Aparecida. E sou bom conhecedor de mapas. Podes resumir essa parte.

— Não estou falando de mapas, senhor Félix.

— Explicaste que Portugal faz fronteira com Espanha. Para mim é quase ofensa.

— Não quis ofender.

— Aparecida, por favor, continua.

— Vou tentar ser mais direta. Não revire os olhos, vou tentar, tenha paciência.

Começamos os trabalhos de subida às montanhas no dia seguinte. Da sala de reuniões lotadas, só onze aceitaram o trabalho. Jorge seria o motorista. Fizemos uma escala de visitas e selecionaram para mim uma aldeia chamada Andorinha. Seria dali a dez dias, mas eu não esquecia a história do bordado, dos lenços, nem da ideia de ir até lá sozinha com Jorge. Dez dias era muito tempo.

Nessa noite da reunião sonhei que bordava um casal de cavalos-marinhos. Era um pano branco e eu quase concluía essa cena, um diante do outro.

Durante esses dias eu ajudava na rotina doméstica, na limpeza, enquanto Fátima, Florice e Lourdes cozinhavam. Jorge e Fernando saíam, faziam compras, cuidavam de pequenos ajustes da casa.

Aprendi coisas novas, as comidas típicas, e sempre jantávamos juntos. Jorge inclusive, tomando os Beijos de Beber. A fábrica de vinhos é de Lourdes, fica no Alentejo, quase todos os anos ganha o prêmio de melhor vinho alentejano e eu não consigo, até hoje, gostar de outro. Aprendi o nome das uvas, inclusive, para sempre tentar tomar o vinho mais perto dessa perfeição.

— Quais são?

— Aragonez, Trincadeira, Alicante Bouschet.

— Boas uvas.

— Foi um teste?

— De forma nenhuma, curiosidade do meu trabalho, somente. Eu conheço esse vinho. Podes seguir, está cada vez mais arrastado, detalhado. Não tens nada de lembrança do passado esses dias? Só a feitiçaria de Jorge?

— Desculpe, desviei o assunto, terei mais cuidado.

Fui com Jorge à Andorinha, uma vila de sete casas feitas de pedras enormes e estávamos buscando a casa de dona Anabela. Era conhecida de Fátima, sabia que ela morava sozinha, vivia com dificuldades e por isso nos mandou até lá.

Explicamos muito rapidamente o propósito da visita, que procurávamos bordados, lenços dos namorados, mas era coisa rápida porque tínhamos que voltar antes de escurecer, e a descida exigia mais cuidado.

Ela não respondeu sim ou não à pergunta sobre os lenços. Pediu que entrássemos e disse que iria buscar um chá com pão de milho que tinha feito um pouco antes da nossa chegada. Era um chá de tília, claro, só bebem isso por aqui. Quando nos serviu, levantou-se de novo e voltou com um lenço nas mãos.

— Fátima mandou vocês porque sabe da história deste lencinho. Bordei por exatos catorze dias, o mais rápido que pude, para entregar ao Antônio. Eu morava em outra aldeia, cheia de moças e de rapazes, mas ele era meu amor desde sempre e não fui a única a dar-lhe um lenço. Ele já recusara mais de seis e por isso não contei a ninguém que tentaria, que seria tão corajosa. Pois fui. No domingo seguinte, quando ele saiu da missa com o lenço no bolso, todo mundo o seguiu para ver quem era a moça. Era eu.

— E a senhora, como reagiu?

— Eu já sabia. Fiquei feliz, mas já sabia.

— Como?

— No meu peito, aqui dentro. Não tinha nenhuma dúvida. Ele me disse que aceitava, mas que tinha um problema: estava de viagem para o Brasil, passaria uns seis meses trabalhando com o tio no Rio de Janeiro e depois voltaria para me buscar. Ainda lembro da voz dele perguntando: "Você me espera?", e eu disse: "Até quando Deus me der dias de vida".

— Ou ela era muito bonita ou o verso muito bem escrito.

— Ou era um amor predestinado, senhor Félix. O bordado bem delicado em um quadrado branco de linha desenhava uma andorinha com uma chave no bico, flores coloridas e um poema:

O meu coração
Só por ti respira
Só a ti adora

— E ele voltou, dona Anabela? — Jorge teve a coragem de fazer a pergunta.

— Claro que sim. Dezessete anos depois.

— A senhora esperou dezessete anos?

— Não foi a minha promessa? Casamos, tivemos dois filhos que moram em Lisboa. Ele tinha esta casa do avô aqui na Andorinha e eu não quero sair daqui porque ele está sepultado ali atrás, não posso sair nunca. Já me ofereceram casa, meus filhos tentam de tudo. Mas há coisa mais importante que um grande amor? Não há.

Dona Anabela começou a chorar e chorou até a nossa despedida. Fiquei arrependida de ter ido. Jorge fotografou o lenço com todos os detalhes. Eu não conseguia falar. Perguntei o que ela fez para aguentar a espera de tantos anos e sua resposta foi apontar para um baú de madeira. Jorge pediu permissão para abrir e fotografar também. Lá estava todo seu enxoval, lençóis, fronhas, travesseiros e todos com o mesmo coração florido e o mesmo poema.

Naquela noite sonhei que bordava um lenço como o dela. Não havia versos nem andorinhas ou flores. Bordei somente uma igreja em linha branca, com uma torre só, três portas, dez janelas. Quando terminei de bordar, olhei orgulhosa para o meu trabalho e uma ventania começou a soprar, barulhenta, arrancando as linhas do tecido, desfazendo a igreja aos poucos e, por fim, deixou ali apenas a ponta da torre maior. Acordei assustada. Foi o sonho mais vivo de todos.

— Tu demoras em detalhes que não me são úteis, mas me divertem. Essa Penélope portuguesa deve ser a última das românticas, foi bom saber que ainda sobram alguns corações de fé. Só preciso saber do que viveste até aqui, das coisas que conseguiste lembrar do passado. Os sonhos. O que está no teu caderno. Esse sonho da igreja me parece muito importante, mas já são dez horas da noite.

— Peço um pouco de paciência, nunca contei nada disso para ninguém. Você está me ajudando enquanto me escuta, entendo tudo um pouco melhor.

— Eu gosto de escutar, mas me disseste que tens um prazo para que eu conclua o meu trabalho. Só posso concluir o meu depois de ouvir o teu relato.

— Tenho prazo, sim. O senhor tem razão.

— Vou ler o caderno hoje. Podemos começar por isso amanhã? O teu prazo, as tuas condições?

— Talvez eu esteja com medo. Quando falo dos sonhos fico nervosa. Essa igreja se desfazendo foi o mais perturbador dos pesadelos. Não consigo recriar na cabeça sem sentir desespero. Prefiro falar de Jorge.

— É claro que estás com medo. Ninguém abandona um passado sem temer. Mas vê, precisamos de objetividade. A partir dessa visita à dona Anabela até o dia de hoje, preciso que me digas com clareza todas as lembranças e o que viste por causa dos sonhos. Só assim poderei encerrar as conversas e começar a trabalhar no teu material. Eu já disse a mesma coisa, estou repetindo, mas entenda: vou precisar de tempo para preparar tudo. Nos vemos amanhã.

— Sobre o caderno, anotei todos os dias os restos de sonhos, nem que fosse uma só frase, palavra, sensação. Alguns reverberavam na cabeça por dias, era como registrar meu avesso a cada vez que anotava um sonho. Nunca houve nenhuma revelação clara, mesmo assim. Não perdi as esperanças, escrevi sempre, fiz o que pude.

— Viver é sempre isso, fazer o que se pode.

8.

— Aparecida, decidi inverter o método de trabalho. Hoje vou fazer-te perguntas.

— Como quiser, senhor Félix.

— Por que decidiste vir aqui encomendar um passado?

— Porque eu desisti de lembrar. Porque quero seguir a vida com Jorge. Não foi uma decisão fácil. Até agora esperei recordar. Tentei muito, tentei de tudo, mas nada aconteceu. O que eu tenho são sopros de lembranças, nada por inteiro. Quero um futuro com Jorge, mesmo correndo um grande risco ao decidir isso.

— Qual risco?

— O amor, por si só, já é um perigo gigantesco. Além disso posso estar com ele, feliz, lembrar de repente e essa lembrança destruir toda ideia de futuro que teríamos. Não sei quem fui, o que fiz com os outros, o que fizeram comigo. Mesmo assim, vou seguir em frente. Quero estar com ele. Quero sempre os olhos dele fixos em mim e me chamando de Muthiana Orera. Preciso de sua ajuda, senhor Félix, sei que o prazo pode ser curto, mas por favor, me ajude.

— E por que me disseste que tens um prazo?

— Porque Jorge recebeu um convite de trabalho em Moçambique e me pediu para ir com ele a Maputo. É um cargo diplomático, ele vai assumir em dois meses e eu preciso do passaporte.

— Como ele soube de mim?

— O pai dele foi diplomata também. Conhecia muitas pessoas, recebia artistas do mundo todo em sua casa. Ele falava de você para Jorge, disse que sabe que várias pessoas já recorreram ao seu trabalho em Angola para resolver a vida.

— E nunca me denunciou?

— Pelo que entendi, ele o admirava.

— O diplomata?

— Sim. Costumava dizer que Félix Ventura é brilhante, um gênio de farta inteligência, assim Jorge me contou. Era como se fosse uma lenda.

— Fico agradecido e assustado.

— Ele já faleceu, não se preocupe. Por que tantas perguntas sobre Jorge?

— Porque foi por meio dele que decidiste me contratar. Qual a data exata da viagem?

— Daqui a um pouco mais de quarenta dias. Queremos chegar lá a tempo de resolver tudo antes que ele tome posse no cargo. Preciso no mínimo de um passaporte e do Cartão Cidadão. Nunca pude viajar, vivi praticamente escondida, sem nenhum documento.

— Eu preciso muito saber se não tiveste nenhuma memória além do que anotaste e me contaste. Qualquer coisa.

— Nada. Só os sonhos esfumaçados, os sentimentos.

— Eu li todos e em parte os dados são claros: vieste de uma praia, havia uma igreja, muito vento, cavalos-marinhos, búzios, uma senhora idosa, talvez uma guerra, uma luta e tu tiveste um amor. Mas há uma anotação sobre uma música, um sonho com música.

— Sim, algumas vezes acordei com essa melodia na cabeça. Só mais tarde, perto do fim do dia, lembrei que sonhei com ela, eu cantando. Outra vez sonhei com a mesma música, uma pessoa cantando para mim. São assim, pistas sem rumo, sem nota, sem qualquer acesso. Preciso virar a página e estou aqui para saber se você poderá mesmo inventar o meu passado.

— Podes cantar agora?

— Para quê?

— Vou gravar e mandar a um amigo brasileiro.

— Dó Si Lá Mi Fá Sol Fá Mi Ré Dó Si Lá# Si Sol Fá Mi.

— Não conheço. Tem mais?

— Mi Fá Fá Mi Mi Fá Fá Mi Mi Ré# Mi Sol Fá Mi Ré Lá Sol Fá Mi Si Ré Dó Si Dó Mi Ré Dó Si Fá# Sol# Si Lá.

— Cantas bem. É uma música bonita, talvez triste.

— Eu não me sinto triste quando lembro. Além dessa, sonhei com outras, mas no momento não consigo cantar.

— Aparecida, estás segura de que assumes a decisão de desistir?

— Assumo a decisão de viver. E de confiar na parte da vida que está por vir, o futuro, a vida com Jorge. A única coisa que tenho é o resto da vida.

— O resto da vida, para ti, será a vida quase inteira.

— Eu nunca quis tanto viver o que está diante de mim. Um dia você pode ser tragado pela terra e aparecer do outro lado do planeta. Pode estar saudável e adoecer. Morrer atropelado, assassinado. Enlouquecer. Mas, enquanto posso tomar decisões, quero ter a chance de seguir. O senhor pode me ajudar?

— O teu caso é o mais fácil que já recebi nesses anos todos, parto de uma folha quase em branco. A maioria dos meus clientes chega aqui sabendo exatamente o que lhes aconteceu e com o desejo de apagar, tirar sua presença do mundo. É um trabalho duplo para mim.

— Por que querem apagar?

— Estão fugindo de alguém, cometeram crimes ou foram testemunhas, outros são assassinos de guerra, psicopatas, vítimas de psicopatas, já vi de tudo. Alguns fazem plástica na cara, emagrecem ou engordam dezenas de quilos, mudam o cabelo, arranjam ou apagam tatuagens, fazem o que for necessário para que se tornem outra pessoa na mesma vida. Nunca vi antes alguém que encomendasse um passado por tê-lo perdido, contigo é a primeira vez e isso me intriga.

— Eu perdi tudo. E fui forçada a ter duas vidas em uma só, a sombra e a luz. Demorei a aceitar isso, devo a Jorge a consciência da minha condição. Não posso mais acreditar que voltarei a lembrar. Preciso do seu trabalho para seguir vivendo, senhor Félix. Jorge pagará pelo serviço.

— Esse homem te quer muito. Ele nem sabe quem é a mulher com quem vai casar e quer mesmo assim. Um amor à primeira vista não é das coisas mais seguras, ele deve estar louco ou ser burro das emoções. Sou treinado pela experiência, sei até prever em que ponto um amor pode dar errado.

— Então você acredita que sempre dá errado?

— Quase sempre, porque os tolos ainda acham que é possível um amor completo, que nos complete, e sempre falta tanto. Quem sabe lidar com os buracos da alma? Acredito que as pessoas seriam mais felizes no amor se aceitassem as renúncias que ele impõe e nem todo mundo aceita. Mas tu e Jorge estão dispostos a tomar uma decisão dessas apenas por causa de um sentimento, não é? Isso me parece quase uma loucura, mas penso que, nesse caso, não há muito o que se possa fazer.

— Por que tanto pessimismo?

— Porque já vi isso dar errado.

— Com o senhor, certamente.

— Várias vezes. E em outras tantas o amor é o motivo de fuga dos meus clientes.

— Pois me diga: o que pode dar errado comigo e com Jorge?

— Tu mesma já disseste: pode ser que seu passado volte e tu queiras ficar lá. Ou ele não queira a mulher que descobriu. Ou nem tu te aceites mais e enlouqueças afogada na sombra.

— Parece trágico em todas as vias, mas não tenho como saber. Vou parar minha vida por isso? Seria injusto comigo. É injusto para qualquer pessoa deixar de viver algo por medo do risco.

— A menina vai me fazer chorar.

— Não seja tão sarcástico. E sobre as perguntas, tem mais alguma? Estou aborrecida.

— Peço que me desculpe. Gostaria de saber como era o teu trabalho nas casas dos idosos, podes me contar? Foi algo que não entendi bem.

— Isso é importante?

— Não, é uma curiosidade.

— É um assunto que me alivia, felizmente.

Quando mais precisei, foi ali que encontrei algum sentido para a minha vida. Por maior que fosse minha confusão, perto dos idosos eu tinha alguma utilidade. No geral eu cuidava deles nas coisas mais básicas. Arrumava a casa, dava banho, lavava as roupas, fazia comida. Em alguns casos dedicava tempo a limpar, jogar coisas fora, lavar o chão, os armários, arejar as salas e os quartos, as cortinas, reformar coisas quebradas. Jorge me ajudava muito, fazíamos várias coisas juntos. O jeito dele com os senhores e as senhoras me conquistou, só alguém de muita bondade é capaz de se doar tanto.

Eu também bordava lenços, arrumava as exposições, organizava a cooperativa de bordadeiras, cuidava da casa e a cada dia gostava mais de Fátima e de sua honestidade. Era uma mulher livre. A prefeitura me pagava um soldo modesto, mas era o suficiente para algumas necessidades e para não me sentir dependente da caridade da família Reis. Gastava pouco, juntei dinheiro para preparar o futuro.

Foram as idas às casas na montanha que aliviaram a angústia dilacerante do passado roendo meus pensamentos. Aos poucos eu pensava menos e deixei de me ver como uma vítima desgraçada do destino. Os meses foram levados mansamente pelo trabalho e pelo amor de Fátima. A seu modo, ela tinha cuidado com a fragilidade da minha condição.

— Mas e os idosos, conta-me alguns casos.

— Vi de tudo. Quanto mais distante era a morada, mais decrépitos estavam eles, e eu ficava pensando sobre a bobagem imensa que é a vida. Depois de dezenas de anos acordando todos os dias para lutar por si, pelos outros, as pessoas chegam ao fim naquele abandono. As casas estavam quase sempre habitadas pelos espíritos dos parentes, já era algo comum para mim ver tantos mortos. Eles, quando eram bons, me contavam coisas para ajudar o idoso. Achei dinheiro escondido, comprei remédio, comida, telefonei para pessoas, ouvi muitas histórias. Coisas que aconteceram com o idoso em vida, fantasmas enfurecidos, tristes, arrependidos. Espíritos de homens chorando pedindo perdão à mulher, decrépita. Um rosário de dores mas também de alegrias. A felicidade sempre está e sempre esteve no amor, aprendi com os idosos e seus falecidos.

— Isso é de fato fantástico. Jorge não percebia tuas conversas com os espíritos?

— Eu tive de avisar. Ele não se assustou, não é nada espantoso para ele. Contei quando certa vez um dos espíritos falou sobre mim e não pude controlar a euforia.

— O que ele disse?

— Era o viúvo de uma senhora, a dona Margarida, e nunca saiu do lado dela. Nunca. Um espanhol muito bem-arrumado que se chamava Sebastián e gostava de ser o homem que cuida. Tinha orgulho de ser digno, mesmo sabendo que ela não entendia sua presença ali. Pouco a pouco ela desligou-se da compreensão do corpo e a cada momento o enxergava mais. Perto de morrer a vista enxerga mais o além, pena que poucos acreditem. Desde que morreu ele ficou lá e ela sentia, mas não adiantava dizer. Isso não é coisa de se acreditar facilmente. Eu mesma não digo. Um dia o Sebastián me pediu para eu me sentar no sofá porque precisava falar algo importante. Começou afirmando que a Morte chegou muito perto de mim, não me levou porque eu ainda preservava o cheiro de enterro. Perguntei o motivo e ele foi direto: porque você ainda não decidiu o que fazer da sua segunda vida. Mandou que eu me livrasse da Morte ou ela voltaria para me buscar, em breve.

— Tinhas contado para ele da tua condição?

— Claro que não. Absolutamente nada. Perguntei, nessa ocasião, o que ele sabia, o que via de mim, mas ele disse que só sentia o cheiro de enterro que tem as pessoas que desistiram. E que almas nefastas poderiam começar a se aproximar se eu não tomasse uma direção que me salvasse.

— E tu te sentias assim?

— Viver, para mim, era só a espera de lembrar. A espera de algo que viria de repente, num dia qualquer, ao acordar. Mas nunca chegava. O que eu estava fazendo a cada dia tinha pouca importância para mim. Eu queria ser útil aos outros. No mais, era mera questão de sobreviver, conviver, ganhar o sustento, ser gentil e grata a quem me salvou, manter-me viva e com saúde para um dia voltar ao Brasil, fosse por qual motivo fosse.

— Nunca te ocorreu que o desaparecimento tenha sido um milagre que te salvou da morte?

— Muitas vezes. Todos os dias, na verdade. Alguém tentou me matar, me machucou muito, me enterrou. Viva ou morta, não sei. Alguém me odiava a ponto de provocar minha morte.

— Disso tenho quase certeza. Disseste que chegaste muito ferida.

— Sim, muito. Fiquei melhor aos poucos. O recado de Sebastián me fez rever os primeiros dias e entender por que eu sentia tudo como uma vida após a morte. Levou um tempo para que eu aceitasse as coisas como são.

— E o recado do morto?

— Mudou minha percepção. Saindo da casa deles respirei fundo, olhando a montanha. Respirei lentamente, observando o fluxo do ar, entendendo que a centelha da vida é isso: um corpo funcionando, um coração esperançoso. Quando Jorge foi me buscar disse que eu estava sorrindo diferente. E eu, quando o vi, entendi que naquele amor havia uma chance de não morrer. Amar com coragem é dizer sim à vida.

— A menina está quase me convencendo a ser romântico.

— Vamos seguir a linha do tempo: fui retirada da terra, encontrei um lugar na casa de Fátima. Fernando, Florice e Lourdes foram embora. Vivíamos eu e Fátima em paz, sempre recebendo a visita dos familiares, tanto que era hábito muito comum arrumar o quarto de hóspedes, trocar as colchas de cama, preparar uma cesta de frutas, garrafas de água, chocolates, lavar as toalhas das visitas, arrumar um bom sabonete, cuidar do recheio de lavanda para os travesseiros, deixar tudo impecável, sempre, para quem fosse chegar.

"Cuidava bem da minha hora do sono. Tomava um chá antes de dormir, tentava me deitar cedo. Rezava, não sei para quem, pedindo que o sonho me levasse, que me fizesse atravessar a margem do mundo, que viesse a mim o que fosse preciso e valioso. Por vezes só anotei algo como "bebi uma água doce" ou "cheiro ruim", "vento forte chicoteando a pele", "gosto de mar na boca", quando da viagem só restava isso. Em geral os sonhos mais importantes aconteciam perto da hora de acordar.

"Uma noite anotei um sonho diferente dos que se repetiram até aquele dia. Eram pessoas construindo um muro, uns preparavam cal, outros ajustavam tijolos e outros lidavam com pedaços de madeira, subindo uma parede, uma casa branca. Alguns homens esmagavam búzios, mariscos, em um pilão e misturavam ao pó branco. Eu os ajudava, mas me via pequena diante de todos. Talvez seja uma memória da minha infância. É uma das coisas que mais me comove, lembrar que fui uma menina um dia, gerada em um ventre, nascida de uma mulher, cuidada por alguém.

"Outra vez eu aparecia para a mesma mulher do colar de búzios e gritava: não estou morta. Ela respondia uma frase curta que não compreendi pelas palavras, mas pelos sentimentos, algo como "eu sei". Repeti que não estava morta, estou viva, estou viva, e ela respondia essa frase desconhecida, com o olhar de quem já estava ciente do meu recado."

— É a primeira vez que tu choras ao falar do teu passado.

— Eu choro muito sozinha e já estou cansada de chorar. Quero seguir adiante. Você tem mais alguma pergunta?

— Jorge vem buscar-te?

— Sim.

— Pede a ele para vir amanhã, no mesmo horário, tenho perguntas a fazer.

— Sobre o quê?

— As coisas que só Jorge pode me contar.

9.

— Um brinde ao único Vendedor de Passados do mundo!

— Por isso quiseste vir a uma tasca para a entrevista, agora percebo, senhor Jorge.

— Sim, é um grande momento. Meu pai sempre falou do senhor com um ar de mistério e de admiração. Era comum alguém chegar contando casos dos clientes de Félix Ventura.

— Certamente o Jorge também sabe que meu trabalho nem sempre é nobre. Eu também já vendi o passado para homens e mulheres que deveriam estar a pagar pelos seus crimes e estão soltos por minha causa.

— Isso é parte da tua lenda, nunca ter sido morto como queima de arquivo de nenhum deles. Mas, me diz, o que queres saber de mim?

— Tudo que puderes contar sobre os Ressurrectos e Aparecida.

— Perfeitamente. Vamos voltar ao primeiro dia em que ouvi essa palavra. Marcou minha vida inteira, inclusive, e começo a dizer algo que nem ela sabe ainda: fui a Aboim da Nóbrega para conhecer a Ressurrecta brasileira.

— Não era para jogar as cinzas?

— Eu planejei jogar no Porto em outro momento, meses depois. Antecipei quando soube da chegada dela e corri para estar lá no aniversário do Triângulo de Marias, como minha mãe as chamava. Ainda criança soube que a brasileira viria muitos anos adiante e que seria a última. Eu tinha a ida ao Douro, tinha de terminar a escrita de minha tese, arranjar umas coisas na nossa casinha, tudo foi motivo para ficar um tempo no Norte.

— Aparecida contou-me sobre essa conversa que tu ouviste na infância, mas poderias dizer mais detalhadamente?

— Foi tudo lá mesmo, em Aboim da Nóbrega, na sala da família Reis. Sempre passávamos lá as férias de verão e as festas de fim de ano. Meus pais ficavam uns dias e depois deixavam-me com meus avós, porque me faria bem o ar da montanha. Eles só queriam ter um tempo sem criança, como era antes da minha adoção, eu percebia e apreciava. Por uma parte pequena do tempo eu brincava nos espigueiros, descia para o rio, corria atrás dos bichos e convivia com os outros da minha idade. Mas a cada dia a coisa de que eu mais gostava era ir para a casa deles, deitar-me com os livros no sofá, comer muito bem e ouvir as conversas. Perto de mim sempre aparecia um prato de queijos com geleia, um bom presunto em fatias, um copo de sumo, uma chávena de baba de camelo, tudo me apetecia e parece-me que a eles agradava ver um miúdo comer tanto.

"Meu pai era um homem ocupado, um diplomata, e a minha vida sempre parecia menos importante que os problemas das gentes, por mais que ele me amasse. Era uma nação e um menino. Minha mãe, mulher do diplomata, trabalhava com ele e dava igual. Na casa dos Reis eu era um miúdo diferente. Era a única criança a andar por ali, as mulheres da casa não tiveram filhos e seu Afonso amava-me como a um neto. Andava com ele por toda parte, ajudava nas coisas da casa, com os animais, no ajuste do telhado, do moinho, das pedras fora de lugar, em tudo eu estava.

"Um dia chegou um homem procurando por ele. Apresentou-se como amigo de alguém e disse que tinha duas mensagens. Sentou-se como visita bem tratada, tomou chá com biscoitos. Falaram de cartas, de pessoas que conversavam por correspondência, dos que chegaram não sei aonde."

— E, afinal, qual é a ordem dos Ressurrectos? Por que isso acontece, alguém já entendeu?

— O homem disse que não, ninguém entendia, muitos se aborreciam porque a vida estava a impor uma obrigação injusta e inexplicável. Soubeste de um desses que matou a mulher que o acolheu na Noruega? Um Ressurrecto?

"Deixaram-me ali mesmo na saleta de visitas, a ouvir o crime, porque imaginavam que um menino não iria entender nada daquilo, a conversa era cifrada, tudo pela metade, mas eu percebi o suficiente, ouvi a palavra várias vezes e fiquei em silêncio fingindo que lia, para que pudesse prestar atenção em tudo sem ser notado. Antes de ir embora o homem avisou ter recebido uma carta, dizia que uma última chegaria para a família Reis, mas ainda demoraria vários anos. Viria do Brasil e era uma mulher. A última? Parecia boa notícia, pois seu Afonso levantou os braços aos céus e soprou aliviado. Ele sabia que minhas perguntas viriam e não deixou nada sem resposta quando comecei a querer saber."

— Ressurrectos são as pessoas que mudam de lugar, que parecem mortos em um sítio, mas um novo sítio lhes devolve a vida. Eles precisam de ajuda e muitas famílias no mundo recebem e cuidam para que cumpram seus destinos.

— E isso é coisa de bruxos?

— Acho que sim, mas não sabemos. Este homem falou ao seu Afonso que há um livro sobre o assunto na biblioteca do Palácio de Mafra ou na Torre do Tombo. Chama-se *O Livro dos Itinerários* e há um capítulo que comenta o fenômeno dos Ressurrectos.

— Tu chegaste a procurar o livro?

— Sim, mas não há nada. Fui até Mafra, não existe registro com esse título, muito menos na Torre do Tombo. Tentei conversar com meu pai sobre o assunto. Um diplomata deveria ser a pessoa mais informada sobre o tema dos que saem de uma terra para outra, mas ele obviamente não poderia dar importância a uma história que começa com mortos que não morreram e brotam da terra como minhocas. Mortos que não morrem são sempre indigestos.

"Depois de adulto mantive o hábito de telefonar para minha tia Fátima, perguntar da vida, ouvir sua voz, era como estar lá de novo, ser criança, sentir meu lugar no mundo. Quando ela me contou da Ressurrecta brasileira na casa de tia Florice, decidi antecipar a ida a Aboim para levar as cinzas de minha mãe. A Ressurrecta. Uma antonomásia. Lembrei-me perfeitamente do homem das cartas. Na hora não disse nada. É brasileira, ela repetiu, mas sabemos só pelo sotaque, está sem memória ainda. Chegou toda cortada, ferida, arredia, sem cabelos, meio lunática, triste. Florice tinha pedido que ela a acolhesse e Fátima já providenciara as coisas, prática como sempre. A moça trabalharia no seu projeto com os idosos e ficaria por um tempo, até que pudesse seguir o próprio caminho."

— Então disseram que fui arredia?

— Tu foste, Aparecida, não nega!

— Assustada. Apavorada. Desorientada. E por isso tudo, arredia.

— Mas, vê, não foi um julgamento. Eles te adoram. E eu queria muito conhecer a tal criatura morta-viva porque sempre foi o sonho da minha vida ver de perto alguém que venceu a morte. A princípio tentaria ser muito discreto. Em África a morte tem muitas dimensões de acordo com o país, com o povo, com as crenças. É mais fácil, mais cheia de significados. Mesmo tendo sido criado como português, sou africano, minha alma tem a marca disso tudo, e encontrar uma Ressurrecta seria como fazer as pazes com as perguntas que me constituem.

"Só não pude esperar que, além de testemunha do oculto, ela fosse bonita de um jeito que me transtornasse. Com Aparecida eu não sei explicar o que houve, o que senti, era uma mulher que eu queria. Foi Iami-Ajé que mandou para mim essa filha de Osun, e eu não pude escapar porque, agora sim, ela tomou meu destino. Eu já sabia, fui avisado."

— Então tu te apaixonaste de primeira, também?

— Creio que estive apaixonado pela ideia de vê-la desde os dez anos. Já homem-feito, fez-se outra forma de paixão. Irracional, desenfreada, como deve de ser. Nas primeiras semanas de convívio nunca tivemos a chance de conversar a sós porque a casa estava sempre cheia ou com gente demais ao redor.

"O trabalho com os idosos nos envolvia muito, era sempre difícil, penoso, exigia concentração. Aparecida é incansável, investia muita energia nas casas, nos banhos, em tudo que fez por eles.

"Depois eu comecei a viajar a trabalho, ficar tempos fora, mas sempre voltava para cuidar da casa de meus pais, para escrever a tese. Tia Fátima deixou escapar que o interesse por Aboim era repentino, obviamente com um riso de canto de boca e bastante convicta de que a motivação de retorno era pela brasileira."

— E por que não confessaste?

— Porque Aparecida pediu para não contar, nos primeiros meses, não sabíamos o que seria, ela tinha vergonha também.

"Depois que as irmãs viajaram eu sabia que na primeira chance poderíamos conversar. Mesmo quando eu dirigia para as casas na montanha, para encontrar os idosos, não conseguíamos um tempo livre e sem tensões para baixar a guarda da nossa timidez. Seria necessário um momento sem interrupções. E foi o que aconteceu.

"Na volta de uma das viagens eu disse a ela que tinha uma surpresa. Era comum voltar com lembranças, chocolates, mapas, livros, explicações sobre cada lugar, mas dessa vez eu contei, com alguma solenidade, que tinha conseguido algo muito especial.

"Quando voltei dessa vez e entrei na casa de tia Fátima, Aparecida estava a tirar a travessa do forno, com luvas e panos para proteger da queimadura, e o máximo que pude fazer foi sorrir e correr para a mesa. Ela arrumou o vinho, as taças, fez baba de camelo."

— Como estavas nesse momento, Aparecida?

— Apaixonada, sem saber. Com duas taças de vinho eu enxerguei Jorge um pouco mais, seu entusiasmo por tudo, a alegria da presença, da comida, de estar ali, o que contava do mundo, do que achou da França, ou quando falava dos macua, ele sabia tanto, de tudo, a minha cabeça explodia feliz com tantas novidades. Ele é um grande contador de histórias.

— Eu me esforçava. Tentei ser um moço prestativo e que conhecia muito bem a casa. Contribuir nas tarefas domésticas, preparar comida, limpar, nos aproximou.

— Fátima disse que iria se deitar mais cedo, estava com dor de cabeça. Nunca ouvi essa queixa antes e naquela altura eu já a conhecia o suficiente para entender que algo naquele encontro era um acordo previamente acertado. Jorge também disse que iria cedo para casa, tinha de desfazer as malas. Ao sair, lembrou-me que tinha uma surpresa.

— A surpresa era um disco de música brasileira que consegui comprar em França, em uma loja de usados. Nosso assunto mais frequente era o Brasil. Ainda bem que ela entendeu o que eu queria que fizesse.

— E o que fizeste, Aparecida?

— Fui à casa dele, era ao lado. Ensaiei a desculpa de que levava mais baba de camelo, perguntaria do disco, o plano era diferente do que aconteceu.

— E o que foi?

— Ela me beijou, de surpresa. Entregou-me o doce e, enquanto eu colocava na mesa, ela veio muito devagar e segura, o beijo que esperei a vida inteira. Aparecida conduziu aquela noite de uma maneira tão alegre e excitante que não foi mais possível imaginar viver sem tudo o que vivemos naquela madrugada. Tudo pareceu brincadeira de crianças, ela faz a vida leve. A única coisa que eu conseguia pensar era no quanto queria estar com ela, de novo e de novo, mesmo fazendo tudo às escondidas.

— E por que às escondidas? Vocês são adultos!

— Nossa situação era complicada, Félix. Eu não queria me envolver porque pensava que meu passado voltaria a qualquer momento. Aconteceram esses encontros, mas eu fugia o tempo todo. Naquela noite eu sabia que a vida iria mudar. Ele disse que ia embora, olhando nos meus olhos. Eu já sabia o que iria fazer. Talvez ele tenha adivinhado, pelo sorriso que me deu. Porque, quando fui acompanhá-lo para fechar a porta, eu não fechei: tirei a chave, esperei um pouco e fui. Sem dizer nada. E assim que chegamos, fui eu que o beijei e pedi para ir ao seu quarto...

— Já estamos bêbados, Aparecida, vais contar os detalhes?

— Não vou, mas acho justo lembrar que meu corpo acordou neste dia. Foi tudo lento e carinhoso, eu despertava e ele era o lugar mais confortável onde estive, em segurança, em paz e em estado de paixão.

— Também foste isso para mim, Aparecida, eu sentia como se também ressuscitasse ainda mais vivo, com mais vontade de estar vivo para ter a ti de novo, de novo.

— O cheiro de Jorge. A voz de Jorge. Foi um princípio de alucinação descontrolada e por isso eu não penso, nem por um segundo, em não ir embora com ele.

— Vamos voltar aos fatos: quando tomei coragem de jogar as cinzas de minha mãe no rio Douro, chamei para que ela fosse também. Era um gesto arriscado, pois seria um dia para nunca esquecer, mas no Porto poderíamos andar de mãos dadas como namorados, jantar com calma, seria bom. Parecia que atravessávamos algum tipo de paraíso naquelas horas de conversa e descanso.

— Foi Jorge quem me deu um mundo inteiro, novo, seguro, explicando as coisas. Eu confiava nele, nas suas palavras, nos seus olhos, como talvez nunca tenha confiado em ninguém. Meus cabelos estavam crescidos, mais uma vez, já me vestia de maneira mais adequada, adaptada ao país, ao clima. Já me achava bonita, apaixonada por ele. Quando eu me via com ele nos reflexos, espelhos e portas, sentia que éramos um par.

"O rio Douro ainda é, até hoje, meu lugar preferido. De dia, ou de noite, todas as luzes."

— Vocês ensaiaram isso para tentar me fazer acreditar no amor novamente, estou certo.

— Lembrei de uma coisa, senhor Félix. Nunca contei a você, Jorge. No dia das cinzas, fiquei quieta ao seu lado, observando aquele coração forte, a alma imensa, evocando a mãe morta. Eu a vi, em pé, perto de mim. Reconheci por causa das fotos que Fátima guardava.

— Ela sorria?

— Sim. Sorria. Para você e para mim.

— Ela certamente gostaria de ti. Que bonito que a viste.

— Depois passeamos pela cidade, de carro e fomos até uma cave do outro lado da ponte e bebemos demais. Sempre tive medo de relembrar do meu passado bebendo, perder o fio, esquecer de novo, mas nunca aconteceu.

— E não era Beijos de Beber?

— Não, tomamos vinho do Porto. Foi engraçado, parecia que estávamos pecando por não comprar a bebida da família Reis.

— Há algo a mais que aconteceu no Douro. Ficamos hospedados no hotel amarelo, ali na praça Ribeira, à beira do rio, que tinha cadeiras na parte de baixo para comer e beber enquanto se ouvia a água. Tive de inventar na recepção que ela perdera os documentos naquele mesmo dia, que não seria mais de uma noite e o gerente do hotel aceitou minha entrada. Subimos juntos, dormimos juntos pela primeira vez, dali para sempre. Escolhi um quarto com uma janela imensa com vista para o rio. Na madrugada, percebi que ela falava dormindo, mas não era português.

— Para mim também foi inesquecível. Foi a primeira vez que não fiz nenhuma oração para lembrar. Antes de dormir eu sempre pedia a Deus: mande-me o sonho da salvação. Nessa noite eu não disse nada. Entendi, pela primeira vez, que era melhor esquecer. Quando eu finalmente percebi que estava viva em forma de uma aberração que surge da terra, sem saber se foi conduzida por Deus ou pelo Diabo, achei que nunca mais encontraria alguém disposto a me amar, pois sou uma dúvida. Uma imensa dúvida. Não se sabe o que pode acontecer comigo, eu pensava, mas Jorge chegou.

— Os olhos não alcançam tudo, há uma parte da vida que só as almas podem ver. É o que tenho aprendido a vender passados para as pessoas. Não sou romântico, mas também não sou cego para o invisível.

— Pois me diga, Félix Ventura: no meu lugar o senhor faria diferente? Restaria esperando que os sonhos trouxessem a resposta? Permaneceria fiel a um vulto que apareceu poucas vezes durante a noite?

— No teu lugar eu faria o mesmo que estás a fazer. Iria com Jorge. Falsearia o passado. Receberia uma vida inventada como prenda. Para ajudar a realizar, ainda gostaria de fazer duas perguntas.

— Quantas quiser.

— Gostava de saber o que pesquisaste sobre o Brasil, Aparecida, se recordaste ou sentiste algo nesses momentos. Aliás, não me contaste que disco foi esse que Jorge trouxe.

— Era um disco do Milton Nascimento chamado *Geraes*. Capa cor de areia, uma montanha desenhada em tinta prata. Choro sempre que escuto. Tenho saudades do Brasil, mesmo sem recordar. Ser brasileira é uma verdade que não conheço na mente, mas percebo no coração e me sinto parte. Neste dia Jorge levantou-se e colocou uma música para tocar. Vi seu corpo nu, esse homem inteiro, bonito, desenhado por Deus. A canção era "A lua girou". Ouvimos abraçados, em silêncio. Até hoje fazemos a mesma coisa.

— Entender o próprio país é uma das coisas mais importantes para entender o resto do mundo. E saber de si. Mostrei o mapa inteiro para ela, as praias. Um amigo me disse que pelo sotaque ela é do Nordeste, então vimos os estados todos, a orla inteira, mas nunca surgiu qualquer pista da praia de onde ela veio.

— A minha maior pergunta é: o que é ser brasileira? Tenho mais dúvida sobre isso do que, de fato, sobre quem eu sou. Entender o país no sangue me trará as respostas, tenho esse sentimento, e mesmo partindo para esses documentos falsos eu não deixarei de ser brasileira. Não quero ser portuguesa. Nunca serei. Sou brasileira e isso me agrada muito.

— Depois de tudo isso, Aparecida, tiveste sorte. Sentes-te feliz?

— Às vezes, sim. Com Jorge, com a família Reis, quando viajo, quando cozinho, sim. Sozinha, minha mente é um inferno. Cinco da tarde, cinco e meia, eu começo a ser tomada por uma nuvem, a cabeça vira tormenta, as dúvidas todas, os pedaços de sonho, a saudade do Brasil. Eu nem sei por que estou viva. Minha cabeça é uma tempestade de perguntas. Não sei por que tentaram me matar. Não sei por que salvaram minha vida. Não sei se resisto por obra de Deus ou do Diabo.

— Acreditas neles?

— Não me importa, essa resposta eu nunca terei. A questão hoje, senhor Félix Ventura, é saber por que estou aqui. Para que serve a minha vida, afinal, o que tenho a fazer, o que vim fazer, o que é isso tão forte, pois foi essa força que impediu que eu morresse. Sabe a razão da sua vida, Félix?

— A cada dia tenho uma resposta diferente.

— Hoje, por exemplo, por que acha que está vivo?

— Para fazer teus documentos. Precisas de mim e isso é tudo por enquanto. Em vinte dias podem vir buscar. Telefonarei na véspera, dando as orientações. Precisarei fazer duas ou três pequenas viagens para recolher o material completo. Depois de terminar o trabalho contigo irei embora, não decidi para onde. Não há como supor quem será a próxima pessoa a me encomendar um passado. Agora eu só penso nessa mulher que estou a inventar a partir do que vejo na minha frente.

— Então a partir de agora serei uma invenção?

— Todos nós somos a invenção de alguém.

10.

— Reservei este quarto em homenagem a vocês, claro.

"Sempre tive vontade de me hospedar neste hotel com vista para o Douro. Gosto de espalhar as cópias dos documentos todos de forma ordenada, por data, pelo prazer de ver meu trabalho bem realizado. Começando pela certidão de nascimento, terminando no teu passaporte. Já tomei uma garrafa de vinho sozinho, acabo de abrir outra. Estejam servidos."

— Preciso confessar que a primeira vista sobre a mesa me impressionou, senhor Félix. Documentos de escola, ficha médica, uma caixa de fotografias, pequenos brinquedos antigos. O que há neste embrulho?

— Uma boneca.

— E neste outro?

— Um presente, mas só entregarei ao final.

— Então nos conte, senhor Félix, o que o senhor conseguiu construir para ela?

— Em resumo, teu nome é Aparecida Santos dos Reis. Nasceste em Almofala, a de Caldas da Rainha, em uma das casas que já foi demolida. Deixei isso em respeito ao teu desenterro, que me impressiona. Há aqui um mapa astrológico de brinde. É a parte mais divertida, para mim, inventar a data de nascimento a partir do que o céu descreve e te fiz uma escorpiana com ascendente em Peixes, nascida em 28 de outubro de 1975, o que combina muito bem com tuas principais características.

"És filha única de um casal muito simples, Alvarinho e Estela. Teu pai trabalhava com marcenaria, tua mãe era dona de casa, costurava e bordava. Ele recebeu uma oferta de emprego e os três mudaram para a praia de Nazaré quando tu tinhas menos de dois anos. Foi lá que cresceste. E lá tua mãe encontrou trabalho fazendo as roupinhas das bonecas nazarenas, que se vende aos turistas. Esta é uma delas, a que te ofereço como lembrança. Consegui em um antiquário, tem idade compatível com tua infância. Poderia ter sido feita por ti e pela tua mãe. O pai mudou-se com a família para o Brasil e moraram no Rio de Janeiro por três anos, isso vai justificar tua fala de brasileira."

— Mas o sotaque dela não é do Rio de Janeiro.

— Não creio que este detalhe vá ser necessário, Jorge. Apesar de ter tudo documentado, aconselho que não estiquem muito a conversa sobre o passado com outras pessoas. Tive pouco tempo, nunca trabalhei tão rápido.

— Peço desculpas, Félix, mas eu tinha data para voltar ao trabalho em Moçambique e não poderia retornar a Portugal tão cedo. Precisávamos deste passaporte e tudo mais desde que Cida decidiu ir comigo. É nossa chance, por isso pagamos a taxa de urgência.

— Entendo. Continuo, pois. Aparecida voltou para Nazaré com a mãe porque o pai morreu em um acidente no Rio de Janeiro. Atropelado. Pobre Alvarinho, um homem bom. Por sorte encontraram trabalho novamente, faziam as bonecas juntas, Aparecida cuidava da mãe, pela saúde frágil. Quando a mãe faleceu a menina tinha dezenove anos e assumiu a pequena empresa de bonecas, trabalhava em uma loja de artes locais e precisou viajar ao Minho com outras colegas artesãs para encomendar lenços e revender em Nazaré.

— E assim conheci a associação.

— Exatamente, tudo combina com o que aconteceu de verdade. O trabalho em Aboim da Nóbrega, o encontro com Jorge e a partir disso a história é de vocês. Confesso que gosto desta frase.

— Qual?

— A partir daqui a história da tua vida é tua. As pessoas não têm essa consciência, de que escrevem uma história enquanto vivem. Eu tenho, porque escrevo passados para vender. Sou um escritor da vida dos outros.

— Quanto custou, Félix?

— Vinte mil euros. Bem abaixo da tabela.

— Ora, senhor, sabemos que não existe uma tabela para este ofício. Estamos diante do único vendedor de passados do mundo.

— A minha, Jorge. A minha tabela. Cobrei abaixo porque foi fácil. Não tive obstáculos, não havia rastros a encobrir.

— É caríssimo, mas cá está.

— É o preço de uma vida nova.

"Ela anotou cento e dois fragmentos de sonhos. Em nenhum há uma palavra que indique qualquer pista, o nome de um lugar, de uma pessoa, não há nada. Li todos, um por um. Morrerei intrigado contigo, Aparecida."

— Comigo? Depois de tudo o que já viu?

— Contigo. Intrigado com essa mulher que atravessou espaço tão longo por debaixo da terra e chegou viva, que tem cicatrizes fundas e fala com os mortos.

— Eu não ia mencionar, mas há uma mulher no banheiro deste apartamento, alguém já te avisou?

— Não. Cheguei tem pouco tempo. Como ela é?

— Muito magra, não para de limpar as coisas, mas parece tranquila.

— Eu não vejo nada, não me importo. Ela nos vê?

— Não. Está concentrada em limpar as coisas, provavelmente trabalhou nesta casa muito antes de ser hotel, ela usa uma farda.

— Quando estivermos nus em um hotel vou lembrar dessa informação de que os funcionários mortos continuam a trabalhar.

— Não seja bobo, Jorge, nem sempre vejo, nem sempre eles estão, isso depende.

— De minha parte, está bem. Assim que terminarmos aqui vou viajar, a mala está pronta. Não me importo de estar um pouco com um fantasma, não deve ser a primeira vez. E acho que já podemos encerrar. Desejo uma boa vida aos dois, Aparecida e Jorge.

— Confira o dinheiro, por favor.

— Não há necessidade.

— Obrigada, Félix. Eu gostei do meu passado. Eu seria feliz costurando e bordando roupas de bonecas nazarenas, essas saias todas, achei uma vida calma.

— Fico contente, Aparecida. Mas gostaria de fazer um pedido.

— Um pedido?

— Sim. Se algum dia lembrares, por favor, me conta. Vou telefonar para ti ou para Jorge a cada dia 28 de outubro, data do teu aniversário, todos os anos. Se algum dia lembrares o que aconteceu, poderias me dizer?

— Por que tanto interesse?

— Porque eu já tinha ouvido falar dos Ressurrectos. Uma das pessoas que atendi mencionou que conheceu um homem em um asilo de loucos na Espanha. Foi mandado para lá porque apareceu em um canal do golfo Pérsico, de dentro da água, e foi encontrado por pescadores de pérolas. Ele contava a mesma história, falava espanhol e ninguém acreditava na tal viagem insólita. Sou intrigado com isso desde então. Repetia que não lembrava quem era, mas não reconhecia ninguém ou nada daquele lugar.

— E por que não procurou o tal homem? Eu gostaria de saber dele.

— Quando ouvi o relato ele já estava morto. Nunca esqueci.

— Você viu nos diários, Félix. Os sonhos não revelam informações concretas. Não há mais nada. Florice e Fernando não sabem nada além do que me disseram, é essa a única verdade que tenho.

— Sigo com minha decisão. Todos os anos vou dar-te os parabéns pela vida nova dia 28 de outubro. Os documentos originais estão todos nessa pasta. As cópias da mesa vou guardar no cofre de sempre, onde estão todos.

— Muito obrigada, senhor Félix. Foi muito bom contar tudo ao senhor.

— Temos um acordo. Prometes que me contarás tudo quando lembrar?

— Se um dia eu lembrar.

— E o outro presente?

— Quase esqueci, ainda bem que perguntaste. Lembra, Jorge, quando me disse que o tal homem que visitou a família Reis mencionou um livro da biblioteca do Palácio de Mafra?

— Sim, cheguei a pesquisar, mas não há registro do tal *Livro dos Itinerários*.

— Porque ele estava no índice de livros proibidos, até hoje não pode entrar no sistema de catalogação oficial. Quando fui lá também recebi a informação de que não havia registro, mas na saída vi a exposição dos volumes proibidos pelo papa Bento XIV em 1754, incluídos no Index e cuja punição pela leitura chegava à excomunhão. O destino seria a queima, mas frei João de Santanna escondeu alguns volumes com a lombada virada para dentro.

— E sobre o que são esses livros?

— Astrologia, levitação, iridologia, truques de prestidigitação, estudos das cartas do Tarocchi italiano, quiromancia e, no meio deles, O *Livro dos Itinerários*. Aqui está, neste envelope.

— O senhor roubou?

— Evidente que não! Fotografei todas as páginas. O título é em português, mas está escrito em francês por uma mulher identificada como mademoiselle Vásquez, que escreveu aos treze anos a pedido do seu avô, um vidente de muita fama que foi enforcado por adivinhar a morte da esposa de um homem muito poderoso. Antes da morte, sua última frase foi dirigida a ela: escreva tudo o que viu. A menina andava com ele e assim pôde narrar a travessia de feiticeiros, curandeiros e magos pelo mundo, histórias de adivinhos, de famílias que vão mudando de nomes para não deixar rastro, pessoas com poderes de incendiar casas inteiras com o olhar, ou criaturas consideradas abjetas, com dedos a mais, corpos estranhos, mas, sobretudo, com acesso ao portal que liga os múltiplos mundos. Obviamente é um livro trágico, porque a maioria morre, crianças são assassinadas para que não perpetuem as maldições, há massacres de toda ordem. O último capítulo tem o título de "Os Ressurrectos". Começa com uma breve introdução, explicando que a autora só teve conhecimento desse fenômeno por uma carta anônima que recebeu, em francês, escrita por um homem que assinava como Dominique Lonchant, amigo de seu avô. Fiz uma impressão a mais para ti e confesso nunca ter lido nada tão impressionante. A primeira frase é um assombro.

— Já está em português?

— Sim. Tudo resolvido, Jorge e Aparecida. Aqui termina o nosso encontro. Sigamos adiante. Eu a vender passados, Jorge a compreender as relações entre os povos e tu a ver os mortos e a ser a prova viva de uma alegoria no mundo. Sejam felizes, Jorge e Aparecida. Não liguem para minhas asneiras, sou um homem cético, mas também já fui cego de amor. É quase certo que nunca mais nos veremos.

— Mas o que diz a primeira frase, o senhor pode dizer?

— "Sempre chegamos ao sítio aonde nos esperam."

11.

Mademoiselle Vásquez,

Venho mui respeitosamente trazer o meu depoimento em uma carta, pois soube de tua empresa de escrever um livro sobre bruxos e bruxas, magos e videntes, cartomantes e mágicos e toda a gente que sofre o mal de encontrar o Céu aberto e enxergar para lá e para o inferno, que escuta o além e sabe mais do que se pode ver. Fui amigo do teu avô muito antes de tu nasceres. Meu nome é Dominique Lonchant e tenho visto, neste mundo, do que são capazes os monstros e os anjos, a levar a vida de homens e mulheres como quem faz voar uma folha no vento. Soube disso porque minha mãe repetia que ela mesma surgiu inesperadamente de um lago entre a Bolívia e o Peru, o Titicaca, o lugar mais bonito do mundo porque é de onde venho. Por lá existem ilhas flutuantes, feitas de totora, onde os uros vivem, resistem, mal da coluna e com dores nas pernas pelas pisadas instáveis de todo dia. Foi por lá que ela disse ter aparecido, do nada, do fundo do lago, com uma abertura na cabeça que parecia uma pedrada de ódio. Cuidaram dela, por lá ficou, sem falar nada, anos e anos. Até que um dia falou, lembrou-se de onde viera, mas fez de conta que não lembrava e a mim nunca contou, nunca soube, só sei que somos bolivianos, nascidos ali mesmo, alimentados por trutas e quinoa, nada mais.

Meu pai, casado com ela, era uma espécie de bruxo do seu povo, mas quem mandava ali eram as bruxas que ofereciam os fetos de lhama para Pachamama em troca de proteção.

Não escondíamos a história de minha mãe, e assim soubemos de relatos de outros, esses a quem chamam de Ressurrectos. Dos que nos contaram muitos saíam da água. Depoimentos impressionantes, que coleciono enquanto viajo pelo mundo. Sou curandeiro e vidente, viajo para onde me chamam e precisam de mim. Onde estou, pergunto se sabem de alguém, se ouviram falar de qualquer pessoa que tenha chegado de forma inesperada, mudo, confuso, e sempre alguém tinha um relato.

Em Mumbai me indicaram ir à mesquita Haji Ali, no meio do mar. Em maré cheia ela parece uma ilha, disseram que eu fosse, pois na ponte de pedra que leva até lá havia uma mulher que falava francês. Eu a encontrei, revelava ter vindo de Poitiers, era uma vendedora de flores e foi atacada em uma madrugada, quando voltava para casa depois de uma missa de Natal. Lembrava-se apenas disso e de aparecer no meio da mesquita, aquela onde apenas os homens poderiam entrar. Estava muito machucada e pela forma como foi retirada machucou-se mais ainda. Vivia ali, a pedir esmolas, comidas, ajudava a quem podia, cuidava do espetáculo de horrores, pernas necrosadas, doentes terminais, todos ali dia e noite, encarou como missão e pena, não sabia como poderia um dia voltar, pediu minha ajuda, encontrei seus parentes, avisei a eles mas nunca soube se voltou ou não para sua casa.

Por um acaso eu estava, anos depois, com um grupo de meditação na gruta de Jeita, em Beirute, e os funcionários do parque contaram de um homem que vivia ali com um menino, não era turista, não comprou ingresso, não passou pela catraca, não falava árabe, francês ou inglês, pareciam asiáticos, ele e o menino. Eu mesmo não dominava mandarim, japonês ou qualquer outro, mas estive com eles e vi que o menino tinha uma perfuração no peito, como marca de tiro. E ali viviam, pela gruta, não faziam mal, mas já eram alguns meses e não se sabia o que fazer com os dois.

Em Praga, onde estive de lua de mel no meu terceiro matrimônio, parei com meu marido para que um desenhista fizesse um retrato nosso no meio da ponte, pareciam muito bons os seus quadros. Era auxiliado por uma mulher que falava italiano, mas não conosco, apenas com o desenhista. Intuí que era uma semiviva, uma Ressurrecta, perguntei como chegou e ela saiu correndo, correu, correu, mas eu pude alcançar porque a mulher não tinha fôlego e ela me disse que apareceu sem saber como no castelo, lá no alto, deitada no chão e sem o pé esquerdo, só então reparei. Lembrou-se, depois, que era italiana, que vinha de Florença onde trabalhava com artefatos de aço e foi com um deles que seu marido arrancou seu pé por descobrir que a mulher o traía e pediu-me muito que eu nunca falasse, nunca dissesse a ninguém, que não sabe como fui capaz de perceber mas que ela precisava viver ali com seu filho, chegou grávida, teve o rapaz, o desenhista, que por talento podia sustentar os dois em Praga, tão bela cidade, tão bela luz.

Há também o homem idoso, já bem velho, que encontrei na praia do Tarrafal a vender pastel de milho e também havia algo que reconheci, por isso o chamei, comprei os pastéis, percebi seu sotaque e perguntei sem rodeios onde ele havia aparecido. No Tarrafal, na prisão, ele disse, destemido. Vinha de outra prisão inglesa, com outra farda, este não tinha os dedos de uma mão e também nenhum constrangimento de contar que estava condenado a morrer na Inglaterra porque cometeu crimes bárbaros que eu não gostaria de ouvir.

O senhor foi salvo, mesmo sendo criminoso, saiba disso. Conheces outros assim?, ele perguntou e falei que sim, inúmeros pelo mundo, contei de alguns e ele não se importava tanto, queria viver ali com a esposa, mesmo com a cabeça atormentada por pesadelos.

O primeiro Ressurrecto que conheci e que decidiu voltar para casa foi um jovem austríaco, talvez com vinte e cinco anos, no máximo, que nunca soube explicar como apareceu em um pomar de laranjeiras em Cuba, ali onde ficou por doze dias e doze noites até ser encontrado por alguém, até não suportar mais comer e chupar laranjas.

Foi acolhido por uma família do campo e seu alemão obviamente não servia para nada, mas ele era esperto e aprendeu aquele espanhol peculiar, aprendeu a amar Cuba, a amar uma mulher cubana e foi quando nasceu o segundo filho que ele sonhou que sua mãe estava perto de morrer, essa mãe de quem ele jamais lembrara, mas no sonho ele via uma carta, um endereço completo e não teria nunca dinheiro para comprar uma passagem até a Áustria se não fosse pela ajuda de um professor, seu amigo, cliente do pequeno bar que mantinha com a família. Contou tudo ao homem, em desespero, que disse poder pagar sua passagem caso pudesse escrever sua história sem nunca ser cobrado por isso. Foram juntos para a Europa e toda a história foi confirmada. Diz ele, o austríaco, que foi feito um filme de sua vida em Havana, premiado em festivais, mas que ele nunca quis ver. Mandou buscar mulher e filhos para viver em Salzburgo, conhecer a mãe nos últimos meses de vida, tomar conta da casa e de tudo que ficou, retomar o caminho, agora bifurcado.

Era um músico famoso em Salzburgo e o conheci em um jantar na Embaixada de Moçambique em Áustria. Uma mulher, que escutava tudo, depositou um bilhete com seu nome e telefone no meu casaco e além disso estava escrito apenas “eu também”.

Parece tudo muito absurdo, que tantas coincidências tenham acontecido justamente comigo, mas eu sempre soube, porque me disse um índio de quase dois metros de altura que me aparecia quando eu precisava entender algo, que minha obrigação era anotar e escrever tudo, entregar a quem pudesse espalhar para que os Ressurrectos um dia possam saber uns dos outros e fazer algo a respeito desse segredo absurdo e misterioso, mas não raro, que acontece aos que não estão ainda na hora de morrer.

A mulher falava português, que por sorte eu já entendia, e contou que estava em Salzburgo a trabalho, mas vivia em Moçambique depois de muitos anos perdida no Oriente Médio, a vagar pelas terras dos profetas, perto do muro do templo de Salomão, no Jordão, no mar Morto, no lago Tiberíades, de água em água, vista como um dos muitos siderados que apresentam-se como novos Messias, a falar da volta de Cristo ou de qualquer outra anunciação sobre fim de mundo, fim dos tempos — ela bradava sua desgraça em português até a sorte de, um dia, ser compreendida. Não era salvação porque foi tomada como pecadora, herege, tudo que fosse possível condenar, até que o encaminhamento para o exorcismo trouxe a possibilidade de fuga. Outra mulher que também estava ali, no subsolo de uma igreja em Haifa, era uma vidente poderosa e pôde ajudá-la a lembrar nos sonhos, pôde encontrar seus parentes em Moçambique até que fosse resgatada por um irmão seu, que nunca cansou de procurar por ela.

Sem dúvida um dos casos mais assombrosos aconteceu em Al Madam, uma vila na península Arábica que hoje está abandonada, assombrada, com uma mesquita quase totalmente coberta pela areia do deserto de Sharjah. A vila abrigava a tribo Al Ketbi até o dia em que o chão tremeu desde as cinco da manhã, um gênio saiu por debaixo da terra a falar alto e a gritar, e contavam os antigos que era uma criatura da mitologia muçulmana, feita de fogo e da maldade dos olhos humanos. Desde então a areia correu mais rápido para dentro das casas, com fúria dedicada à mesquita que a cada dia estava mais e mais coberta pela areia. Al Madam é assombrada até hoje, e só gente de coragem chega até lá e toca aquela areia enfeitiçada. Dizem que se um casal for até lá e se beijar dentro de uma das casas, nunca mais será separado. Mesmo que desejem, nunca conseguirão.

Há registros de Ressurrectos em uma fazenda de cultivo de baunilha nas ilhas Maurício, ali depois de Madagascar. Começaram a perceber que as favas secas diminuíam e descobriram um homem escondido no galpão, a comer as favas, a falar uma língua incompreensível. Há o pescador de pérolas no golfo Pérsico, talvez o mais famoso de todos porque virou um homem rico e poderoso que conta sua história como se fosse fábula. Uma menina alemã despertou um pequeno povoado argentino, na madrugada, dizendo que vinha do céu, que morreu cedo, faz milagres, a alemãzinha, e tem curado as doenças de toda a gente por lá. Nunca souberam de nada de sua vida.

É trágica também a história da cuidadora de elefantes em Pretória, que surgiu em uma savana, criou-se com os bichos, virou tema de matérias de jornais e foi reconhecida como uma jovem chilena que assassinou o pai, que abusava dela desde criança com navalhadas na sua vagina, os lábios arrancados para que nunca outro homem a fizesse mulher. Ela o matou antes de ser morta, viajou do Chile para a África do Sul no túnel assombrado que leva os Ressurrectos, corajosa e destemida, mas nunca quis voltar para a família, quis sempre estar com os elefantes, até que seu corpo foi encontrado por um outro cuidador de animais graças ao comportamento anormal dos bichos.

Os elefantes não deixaram que a polícia retirasse o corpo de lá, mas vendo de longe parecia alguma doença de fígado, pelo tom amarelado da pele. Centenas de pessoas ficaram ao redor da mata. Dizem que era possível ouvir o canto fúnebre dos bichos, em honra de Jemina, a misteriosa heroína chilena.

Os nativos da América do Sul contam várias histórias de pedras que fazem o transporte invisível de um lugar para outro, em Sete Cidades, Serra da Capivara, no Cariri, é tudo ligado. Dom Sebastião de Portugal desapareceu no Marrocos e apareceu de volta na ilha dos Lençóis, andando a cavalo, tomando conta de tudo.

Deixo aqui, mademoiselle Vásquez, o meu testemunho de tantas pessoas, na esperança de que meu relato seja útil para o teu livro, que nós sejamos um dia compreendidos como mensageiros entre os mundos, os que abrem as portas, os que trazem as notícias, os que iluminam caminhos. Já não tenho tempo de vida suficiente para ver os dias em que os olhos sejam mais que dois, estou perto da morte. Uma doença tomou conta da minha garganta, dos pulmões e não há mais nada que a medicina dos homens possa fazer, estou nas mãos do mistério. Sou o Mistério. O vento conta, as nuvens ensinam, as almas voltam para dizer, as cartas avisam, é tudo caminho de verdade, os astros no céu, é tudo caminho de entender, a vida da terra é coisa pobre e tão podre no mal. Somos nós, os videntes, que iluminamos os céticos, os cegos, os fracos de espírito.

Se achar por bem publicar minha carta no teu livro, autorizo que diga meu nome. Até lá, me dizem os Guias, já estarei morto para o mundo dos homens e não corro risco de ser perseguido. Decerto, nunca soube de nada. Se querem saber por que acontece ou como, não serei eu a dizer. Só há um fato que é o mesmo nos Ressurrectos: todos somem e reaparecem no décimo mês do ano. É entre outubros que se abrem as portas da salvação.

Minha mais respeitosa reverência,
Dominique Lonchant

12.

Félix Ventura, o único vendedor de passados do mundo, telefonou-me todos os anos conforme prometeu. Mesmo se viajássemos, se estivéssemos em um hotel, uma casa alugada, em outro continente, ele conseguia descobrir e me telefonava por volta das cinco da tarde por lembrar da minha tristeza ao crepúsculo. Já começava a conversa me fazendo rir, que homem delicado. Recordar um detalhe assim é coisa de quem quer bem.

Ele queria saber se eu lembrara, se alguma recordação aparecera e a resposta era sempre não. Aos poucos o assunto ia esticando, eu contava como estava feliz em Moçambique, falava do trabalho de Jorge, dos planos de mudar de país, ficar em África para depois ir mais longe. Por minha causa, sim, porque eu tinha voltado a estudar. Gostava do espanhol, depois do francês, um pouco de italiano, sempre com Jorge, falando nestas línguas, brincando em casa como se fôssemos gente de outro canto.

Minha sensação era de carregar um crime, eu confessava a Félix. Ele ria muito e repetia o mantra de não ser nada, papéis falsos muita gente tem sem sofrer nem por um segundo, eu nem imaginava as histórias das pessoas que fariam de tudo e dariam todo dinheiro do mundo para esquecer como eu esqueci.

Ele sempre me perguntava: será que não vai ser ruim quando lembrares? Não vais querer voltar ao tempo sem essas dores todas?

Mas eu sinto as dores todas, ainda sinto nos sonhos. E nada claro?, ele insistia. Nada, nada claro. Sempre a casa vermelha, estrelas-do-mar, cavalos-marinhos, esvaindo, esmaecendo, a tal música que eu nunca descobri qual era. Um dia ele me pediu para cantar de novo e eu cantei. Depois ele pedia todos os anos e eu cantarolava.

As cenas do presente já estavam sobrepostas a isso, eu agora vivia uma vida, sonhava com Jorge, com Moçambique, com as coisas daqui.

Outra pergunta presente em todos esses telefonemas era sobre meu amor, e eu, a cada ano, confirmava nossa felicidade. Félix sempre a rir das minhas bobagens românticas. De vez em quando ele falava que conhecera alguém, que tiveram bons momentos, mas que não podia confiar. Nem ficar no mesmo lugar por causa de uma paixão, isso ele achava uma burrice imensa. Nasceu com um antídoto, um gene alterado, não era apanhado por essa coisa de pensar em alguém e não enxergar a vida sem essa pessoa.

Eram divertidos nossos telefonemas, às vezes Jorge estava em casa e ríamos juntos. Ficamos amigos. Talvez ele precisasse da minha dose de fé no amor, todos os anos. Na última vez em que conversamos demos a notícia da compra da casa na ilha de Moçambique, impressionados porque era a suposta residência de Camões quando lá esteve. Félix prometeu nos visitar e talvez passasse um tempo de férias, pois era também um bom lugar para se esconder.

Até que um dia ele não ligou mais. Senti falta. Nos perguntávamos se ele tinha morrido ou se havia sido capturado pela polícia. Seria impossível descobrir, certamente seu nome não era Félix

Ventura, ele mesmo inventara o personagem com esta alcunha de felicidade e destino. Pois se Félix tivesse telefonado naquele meu aniversário de vinte e nove anos, sete depois do nosso primeiro encontro, eu teria contado sobre como, finalmente, lembrei de tudo.

Eu teria contado da morte de Fernando, dois meses depois de Florice, sem que eu tivesse tempo de voltar para visitá-los. Foram os últimos, Lourdes e Fátima faleceram antes. Cada despedida foi, para nós, uma dor imensa. Vivi anos muito felizes com essa família. Estive na casa de Lourdes muitas vezes, em Beja, em Lisboa com Florice e com todos juntos. Aprendi essa nova vida com eles todos e foi dos Reis que ganhei a sorte de ter Jorge. Por tudo isso, me sinto afortunada e pude seguir com mais alegria do que ressentimento, mais amor que medo.

Um advogado me telefonou para dizer que o apartamento de Lisboa tinha ficado de herança para mim, estava determinada essa decisão no caso de morte dos dois. Nunca soube disso, nunca fui avisada, mas a situação exigiu que eu e Jorge fôssemos a Lisboa para resolver, assumir o imóvel, cuidar da memória deles. Jorge precisava ir comigo sempre, ainda me faltava coragem para os aviões, os policiais, cada pessoa que tocava um dos documentos da minha vida de mentira me causava arrepios, pesava novamente aquele monte de terra do qual eu tinha saído, voltava para os meus pulmões e eu precisava de Jorge, o tempo todo, queria sua presença, gostava de estar com ele e apesar da dor, toda dor, era bonito voltar para receber o presente deixado pelo casal da minha salvação, tão amado por mim.

A chave da casa ainda estava comigo, sempre esteve, e tudo parecia igual ao primeiro dia quando abri a porta. Minha primeira providência foi cumprir exatamente o desejo deles: recolher seus objetos para doação aos necessitados. Apesar de ver os mortos, de sempre continuar a ver os mortos, eu nunca os vi. Nem sei se estaria preparada, mas nunca aconteceu de falar com Florice e Fernando depois da morte. Felizmente não deixei nada por dizer, ainda em vida pude agradecer, pude confessar meu sentimento de sorte, contar como eles foram minha salvação no desamparo da desgraça, dizer da gratidão da minha alma. Todos os anos passamos o Natal juntos, o aniversário do Triângulo de Marias ou de Fernando, dentro do possível estávamos em Aboim, em Lisboa ou em Beja.

Encaixotei as coisas para doar, roupas, sapatos, colchas de cama, objetos de cozinha. Guardei algumas lembranças bonitas para mim, ainda tinham as mãos deles: as azeitoneiras pintadas, os pratos e as chávenas que usávamos.

Tirei tudo do armário da cozinha e organizei na mesa da sala. Fiz o mesmo no guarda-roupa, não eram muitas vestes, o básico para os dois. As fotografias já estavam bem-arrumadas em uma caixa, os documentos, também, com isso não tive nenhum trabalho.

Na parte de cima do guarda-roupa estavam os xales de Florice, as meias grossas de frio, era alto para o meu tamanho e por isso subi em um banco, estiquei o braço para retirar fundo e então encontrei. Lá estava o embrulho preto, parecido com o cadáver de um bebê, escondido desde minha chegada, em Almofala. Camuflado, com caixas e roupas na frente, arranjado de uma maneira quase impossível de encontrar.

Tocar no pacote me causou tontura, um mal-estar físico. Félix me perguntaria o que senti e era uma névoa chegando por dentro dos olhos, constantemente em desalinho, quase como se não pudesse andar. Quando Jorge chegou em casa, trazendo comida para o jantar, contei e pedi que ele abrisse para mim, o embrulho queimava minhas mãos. Jorge intuía as coisas, percebeu algo forte. Pediu que eu contasse de novo sobre quando e como vi o pacote pela primeira vez, estava no chão, parecia uma criança morta.

Cuidou de abrir devagar, pediu que eu não olhasse, se me fizesse mal, trouxe um copo de água, sentou-se novamente e descobriu um saco depois do outro e do outro e um jornal, mais um saco até que a vimos. Uma santa quebrada em três pedaços, pintada de dourado em todos os seus contornos, um manto, mãos ao peito em prece, com cabeças de anjos sorrindo aos seus pés, uma enorme coroa dourada.

— Nossa Senhora da Conceição — ele disse — está escrito embaixo.

— Por que ela me deixa assim? Estou muito tonta, muito mal.

— Vou embalar de novo, procurar um lugar de restauro em Moçambique. Já vamos voltar amanhã, Cida, é melhor descansar. Levamos a santa, vamos pensar, vamos cuidar dela. Eu fui chamado à embaixada, preciso ir e espero voltar no começo da noite. Deixei comida, sumos, tudo organizado para ti ali em cima. Não deixes de comer, descansa. Vais ficar bem, prometes?

Nada bem, eu disse, mas obedeci à ordem de descanso, de esquecer a santa, tentar dormir. Sonhei com ela, aquela mesma confusão de imagens sobrepostas e sem sentido, mas dessa vez eu via a santa inteira em uma igreja branca e acordei com a certeza, absoluta, de que ela veio comigo de onde eu vim, por algum motivo estava ali.

Teríamos de deixar Lisboa no dia seguinte muito cedo. O avião partiria na madrugada, e enquanto Jorge trabalhava resolvi ficar no apartamento, despedir-me da memória de Florice e Fernando, tentar descansar daquela sensação estranha, interminável.

Ao arrumar a santa, achei o livro em que Florice anotava os nomes dos Ressurrectos. E, ao final, o telefone de Regina. Eu precisava telefonar, sem ao menos saber o que eu iria dizer.

— A menina então já encontrou?

— O quê?

— A santa.

— Encontrei agora, junto com este caderno, por isso estou telefonando.

— Graças a Deus, ela escondeu isso tão bem! Tive medo de nunca achares.

— Por que ela guardou?

— Porque eu pedi. Ela achava que trazia má sorte ter santo quebrado em casa. Isso precisava acabar em algum momento e chegou a hora.

Regina falou que o dourado era ouro mesmo, a coroa, também. E veio comigo pelo mesmo buraco. Falava sem parar, exclamava como era bonita a mãe de Deus.

Interrompi atônita sua fala, contei que sentia a memória voltando, não sei se quero, estou feliz, estou feliz com Jorge, não quero perder minha vida.

— E por que lembrar atrapalharia a tua felicidade?

— Eu não sei quem fui. Não sei o que ficou lá.

— Nessa altura isso não vai mais importar tanto.

— Jorge é meu amor agora. É com ele que quero viver.

— Pois isso basta, lembrando ou não.

— E por que isso aconteceu, o que a senhora sabe?

— Sei menos que ti e gostaria de não estar metida nessa confusão. Isso foi uma tia louca que enfiou na minha vida, alarmando que não se pode deixar de fazer o que tem de ser feito quando um Ressurrecto chega na sua vida. Ela era uma delas, eu não sou, mas herdei o tal fado. Quando tu estavas para aparecer aqui ela já tinha ficado cega. Mandou que eu telefonasse para Florice e Fernando e avisasse: vai chegar uma mulher em Almofala. Depois disse, ligue de novo, sua estúpida, são sete Almofalas em Portugal, eles precisam saber que é a de Caldas da Rainha.

— Ela conhecia os dois?

— As famílias se conheciam. O avô de Florice era Ressurrecto, ela nunca disse? Minha tia me contou tudo.

— Onde está essa mulher?

— Morreu, que Deus a tenha. E tu eras a última Ressurrecta a chegar enquanto ela estava viva, a missão veio para mim e agora que recebeste a santa e estás lembrando de tudo eu me despeço.

— Dona Florice sabia disso tudo?

— Em parte, sim. Estive com ela depois da tua chegada, ela estava com medo porque tu vias os mortos, porque a santa veio quebrada, achava mau agouro para a família, decidiu te deixar no Norte por isso. Minha tia ficou revoltada, mandou dizer que não, que tu eras a brasileira predestinada a vir desde sempre, a última Ressurrecta da família, e mandou descansar o coração.

— Ela conheceu sua tia?

— Eu a levei no asilo.

— E conversaram sobre os Ressurrectos? Você ouviu?

— Florice foi com Fernando, mas a conversa não rendeu nada. Tenho que ir, menina. Desejo-te boa sorte. Daqui não posso te ajudar em nada. Não sei de nada.

— Eu preciso saber tudo, senhora Regina, tenha calma, fale mais devagar, por favor. Explique isso, qual é o plano nessas viagens, nos deslocamentos? Eu tenho o direito de saber.

— Mas não vais saber, menina. A vida é isso, não sabemos nunca e mesmo assim vivemos, percebes? Ainda não percebeste que é assim que funcionam as coisas?

— Sempre a mesma resposta. A senhora não vai me dizer mais nada? Não acredito nisso tudo, tenho de trabalhar, tenho de voltar à vida.

— Fiquei pendente esses anos todos observando o que aconteceria contigo por obrigação e tiveste sorte, muita sorte. Tenho que ir agora. Aproveita a ventura recebida.

Naquela noite sonhei com a Menininha, a menina que vi na igreja de Almofala. Ela me entregava um papel que eu não conseguia ler. Era um breve bilhete, apenas duas palavras, mas eu não entendia nada, não decodificava aqueles riscos. A criança levava uma mala de couro, cor de caramelo, antiga, que parecia vazia, e me entregava. Quando abri estava cheia de cavalos-marinhos mortos, ressecados, misturados com areia, estrelas-do-mar, fiapos, restos, roupas. Toquei cada cavalinho com os dedos, limpando, soprando, enquanto apareciam mais e mais por dentro da mala, em pares, alguns entrelaçados, mais areia vindo da mala e enchia o quarto onde estávamos. No desespero de me dizer algo ela mostrava o papel e eu não enxergava, não sabia, e ouvia uma pessoa dizer um nome que eu reconhecia como meu. Chamou e olhamos nós duas, eu e a menina. Acordei com o som tão alto como se fosse no meu ouvido. Depois de abrir os olhos, enxerguei o que estava no papel.

A vida é feita de palavras, elas explicam e fazem nascer e morrer. Se ninguém pronuncia um nome este ser está morto, mesmo que respire e leve um coração batendo no peito. Estar vivo é ser palavra na boca de alguém. Não lembrar delas me condenou ao abismo, não saber o nome das pessoas, do meu lugar, a narrativa da minha vida, tudo o que somos é história e história se conta com palavras. Por isso, bastou um bilhete. Lembrei-me da missa: "Mas dizei uma só palavra e serei salvo". Fui salva por apenas duas, o nome da cidade de onde vim e o meu nome.

PARTE II
Os ossos dela não estão lá

1.

Acordei sentindo meu sofrimento dos últimos anos todos aqui, no meu peito, preso, pesado, doendo, sabe? Eu achei que o destino faria de mim um velho senil, desmemoriado, urinando nas calças, sem saber meu próprio nome, em plena demência, sem reconhecer nada, ninguém, lugar nenhum, livre do tormento de lembrar a tragédia que arruinou minha vida. Quando esse tempo chegasse eu teria sossego, babando no peito, sujando a cadeira de rodas, peidando igual um porco velho até morrer e acabar tudo, o último suspiro na paz do esquecimento. Já se passaram quarenta e nove anos e eu não esqueci. Pois está aqui essa carcaça de homem, esse couro esturricado, um olho cego, o outro quase sem ver, de tanto ficar no sol juntando saca de areia, de tanto olhar para a estrada para ver se ela voltava, de tanto pegar a jangadinha e ficar no meio do mar pedindo ao Diabo que mandasse uma onda e me levasse.

Quando o Diabo me obedecia, eu mudava de ideia. Remava para me salvar, que eu não queria morrer já que a mulher disse aquilo, enfeitiçada, disse com toda certeza que eu tivesse fé e eu queria esperar, pegar ela de volta e fugir, sei lá que Anjo da Ilusão soprava no meu ouvido para ser tão tolo, homem-feito e tão alucinado de sol.

E ela nunca voltou. Mentira de Malba, mentira da minha loucura, ela nunca voltou, e eu que desse graças a Deus que tinha aqui uma mulher que me quisesse, que casou comigo, que me deu minha filha, que fez um futuro para mim. Depois disso virei homem direito, professor Miguel, diretor da escola, protetor da natureza, entrevistado da rádio. A televisão vivia atrás de mim para falar dela. Perguntavam dela, como foram os últimos minutos, se eu a vi escapulindo, o que aconteceu de verdade, respondi para a polícia, respondi para o povo e se pararam de me chamar de assassino foi por pena de mim.

O primeiro pensamento do dia era ela. Hora atrás de hora e eu matando aquele rosto, apagando a voz, sacudindo a cabeça para tirar de mim, matei de tiro, de fogo, de cachaça, de ódio e todo dia de noite ela aparecia no juízo, passava a noite ali até eu acordar de manhã e matar, matar, matar Joana, dona da minha desgraça. Eu vivia cantando uma música, aquela do Chico Buarque, você conhece?

— Qual?

— Aquela que termina assim: "Pois você sumiu no mundo sem me avisar, e agora eu era um louco a perguntar o que é que a vida vai fazer de mim?". O que a vida fez de mim foi me dissolver nessa pergunta eterna. Fiz esforço para me convencer de que a paixão é hormonal, mora no fígado, você sabia? A paixão é praticamente uma doença do fígado, o amor, o que a gente pensa que é amor, parece mais um desequilíbrio dos receptores cerebrais. Associamos a pessoa a um disparador de serotonina, dopamina e vai virando vício pelo cheiro, pela pele, pelo toque da criatura, de um jeito que ficamos perdidos. Não fabricaram pílula para isso ainda por burrice, porque seria possível. Seria perfeitamente possível tomar um inibidor dessas substâncias e parar tudo.

E a lembrança, a memória, é impulso elétrico pelos neurônios. Eu sou biólogo, não sou um tolo, como eu poderia não me convencer do que eu sabia tanto? Como foi possível que eu traísse a ciência tantos anos, dominado pela lembrança de uma mulher?

Nada foi apagado. Está tudo aqui, até hoje, nessa caixa infernal do pensamento. A voz dela dizendo meu nome, meu apelido, voz melosa, gemendo, os pedaços dela, a pele, se fazia sol, o cheiro, a música que eu cantava, as horas de desespero, de amor faminto, o jeito doce, a menina que ela também sabia ser.

Tenho setenta e nove anos e sou tão lúcido quanto era na juventude, tanto idoso por aí rindo sem dente, inocente como menino e eu aqui carregando a dor. Só pode ser praga do Diabo que me odeia, só pode, o velho que carrega uma caixa-preta de avião dentro da cabeça.

Aí chega o senhor do estrangeiro e me pede para dizer o que sei dela, foi o Cão que te mandou? Escute aqui de perto, tenho que falar baixo. Minha mulher não pode ouvir nem a primeira letra do nome dessa criatura. Elas eram amigas antes do acontecido. O que o senhor disse quando entrou?

— Expliquei que estou fazendo uma pesquisa sobre a história de Almofala.

— Ela não ficou com raiva?

— Bastante aborrecida, sim. Disse que o senhor nem nasceu aqui, não queria permitir, foi sua neta, Helena, que intercedeu e me ajudou. Argumentou que seria bom para o senhor ter companhia para conversar. Por fim sua esposa concordou, mas sei que está contrariada. Peço desculpas.

— Helena é uma moça muito inteligente, às vezes parece que lê pensamento. Nessa altura não faz mais diferença falar disso ou não, eu achei que sem falar iria esquecer. Se eu nunca dissesse nada, seguisse a vida, levasse as coisas dela para longe, não deixasse nada comigo, o tempo respeitaria meu silêncio e com alguns anos já não sobraria a voz dessa mulher dentro dos ouvidos, o cheiro dela pregado aqui, aqui no meu nariz, inebriante. Calei esses anos todos, mas o senhor chegou dizendo o nome dela. Coisa que nunca mais ouvi, o nome dela. E acho que agora, nessa altura, a morte já vem ali pela estrada para me buscar. Não muda nada responder ou não, pode até aliviar a agonia.

— Foi o que Helena disse, que talvez fosse bom falar. Gostava de gravar a conversa, se o senhor me permitir.

— O senhor se acalme, não é assim. E o seu nome, como é mesmo?

— Jorge Momade.

— O senhor é português?

— Moçambicano.

— Hum. E quer saber dela?

— Sou pesquisador, estudo fenômenos sobrenaturais. Ouvi falar do desaparecimento dessa mulher e viajei para investigar porque me pareceu muito impressionante.

— Investigar para a polícia?

— Não, de forma nenhuma, não sou da polícia, é tudo para os meus estudos, uma curiosidade pessoal. Posso começar a gravar?

— Pergunte. Mas eu cuspo, aviso logo. Vai gravar as cuspidas também?

— Não há problema.

— Minha mulher está indo pra missa, dá tempo de contar.

— Pois, senhor Miguel, eu soube que o senhor é a principal testemunha do desaparecimento de uma mulher aqui de Almofala chamada Joana. Se o senhor puder, gostava que me contasse desde o começo.

— É muita coisa. Muito tempo. E não há forma de entender.

— Ficarei alguns dias aqui, posso voltar outras vezes.

— Vou começar pelo dia em que cheguei aqui, a primeira vez que a vi, a confusão da igreja e o senhor faz a sua ordem.

— Está bem.

— Eu sou de Pernambuco e vim para Almofala a trabalho. Cheguei de noite, tudo às escuras, só casas de taipa e muito vento levantando areia, andava quase sem enxergar nada. Não consegui ver o mar e não percebi na hora o quanto isso foi angustiante, uma entrada na escuridão. Perguntava às pessoas da rua de onde o ônibus me deixou até a praça da cidade e descobri que não havia mesmo hotéis nem pousadas. O mais parecido com isso seria a pensão de uma senhora chamada Doralice, que costumava alugar quartos. Era a mesma informação que tive antes de chegar, mas ainda restava a esperança de algum progresso, uma novidade qualquer no incremento do inexistente turismo local.

A hospedaria de Doralice ficava quase ao pé da duna, fácil de achar e lá estava a mulher de olhos pequenos, cabelos grandes e lisos, sentada do lado de fora catando piolho de um menino. Ao ouvir a minha voz dizendo coisas triviais como um boa-noite, meu nome é Miguel, preciso alugar um quarto até dezembro, posso pagar adiantado, brotavam pessoas na porta, nas janelas, ao meu lado, e todas saíam de dentro de casa me fazendo pensar como poderia caber tanta gente ali. As crianças não faziam nenhuma cerimônia no exame minucioso da minha pessoa e percebiam, certamente, meu ar de absoluto desconforto. Fora do lugar eu me sentia quase sempre, mas ali chegava a ser violento.

Expliquei de novo que eu precisava ficar por quatro meses, datas marcadas, passagem comprada. Que sou biólogo, que pesquiso cavalos-marinhos e estava aqui para andar pelas beiras de rio catalogando as espécies. Que passaria o dia fora, no Aracatiaçu, Aracati-Mirim até o Guriú, já chegando quase na fronteira com o Piauí. Que iria pesquisar também em Camocim, na ilha do Amor, em Tatajuba, Jericoacoara — disse todas aquelas palavras com a ajuda das anotações em um papel, era impossível decorar. Ela me olhava, um bocado empenhada na compreensão. Sério demais, educado demais, misterioso demais por vir de tão longe ver os cavalos-marinhos, ria como se eu fosse um tolo.

Nossa apresentação parecia não ter fim. Ela fez muitos rodeios para dizer o preço e como seria o pagamento, as condições, o café da manhã e em alguns momentos parecia um idioma diferente, em outros sentia que ela estava inventando tudo na mesma hora e que as regras mudavam de acordo com o cliente.

Preciso deixar algo muito claro a partir deste ponto: para compreender qualquer coisa em Almofala é preciso estar disposto a ouvir sempre duas explicações. A começar pelo nome da vila. Os historiadores contam que vem do árabe, *almohala*, lugar de passagem, nome trazido pelos portugueses, que aprenderam com os mouros. Para os tremembés, vem da expressão *alma fala*. Afirmação e certeza, pois disso ninguém duvida. As almas falam. Sopra o vento Leste e o vento Terral e os dois dizem muitas coisas.

— O senhor escuta?

— O quê?

— Algum recado do vento?

— Só o nome dela. Muitas vezes o nome de Joana. É dela que começarei a falar agora.

Meu relógio marcava seis da manhã em ponto quando despertei, levantei-me para vestir minha roupa, ler um pouco, tentar conhecer a cidade mais tarde. Ouvi uma voz feminina e abri a porta. Havia uma moça do lado de fora do quarto, falando sozinha e olhando o espelho. Dei bom-dia e ela gritou, como se visse um monstro.

Sei que acordo feio, mas não mordo, foi a única bobagem que me ocorreu dizer. Quando fico nervoso é isso que acontece, falo besteiras. Fez efeito, pois ouvi sua risada pela primeira vez, ainda comedida. O som do seu riso escutei muitas vezes, tenho gravado por dentro dos meus ouvidos.

Ela vestia uma camisola azul, cabelos cacheados, enormes, desgrenhados por cima de um olhar infantil, o colar de búzios. Apresentou-se, disse que seu nome era Joana, pediu desculpas, disse que já estava indo cuidar do café, não iria atrasar. Seu olhar para mim tinha a luz do inexplicável, me fazia maior do que sou, parte de um plano do universo, de uma narrativa invisível da qual eu não teria forças para escapar. Sempre pareceu feitiço. Sempre me fez sentir imenso e perdido em uma nova estrada.

Lembro do cheiro daquele dia. Passei mais um tempo no quarto, tomei banho, fiz anotações. Cheguei tímido à mesa da cozinha, tudo estava pronto, Joana de cabelo molhado e de vestido. Doralice pedindo desculpas atropeladas enquanto servia café, tapioca, queijo coalho, falando da casa, de quando foi construída e não continuou o assunto porque escutamos uma gritaria na rua.

Era a igreja. Foi no dia da condenação da igreja de Nossa Senhora da Conceição de Almofala sob trilhões e trilhões de grãos de areia. O processo já tinha começado havia um tempo, as pessoas tentavam tirar a areia de dia, mas naquela madrugada foi pior.

Naquela manhã, para assombro de todos, o vento Leste iniciava o enterro da igreja, a areia entrava pelas brechas das portas, o sopro não dava trégua e ficou claro que seria impossível conter. Com aquela gritaria tivemos que ir ver de perto o que estava acontecendo e Joana foi comigo.

— Senhor Miguel, quantos anos Joana tinha à época?

— Vinte e dois. Se fosse viva ela teria sessenta e dois anos agora.

— O senhor não teria mesmo nenhuma foto de Joana do período em que a conheceu, aos vinte e dois anos?

— Não. Levaram tudo dela para ser queimado, não sobrou nada. O povo da aldeia não pronuncia o nome de Joana Camelo sem fazer o sinal da cruz, bater na madeira ou espumar de ódio. Sua família teve que mudar de casa. A mim nunca deixaram em paz.

— E por quê?

— Porque Joana foi a maldição de Almofala.

2.

Então eu e ela corremos para ver a fúria do vento, o povo ao redor gritando, a história da igreja foi se revelando para mim nas palavras soltas e nas frases desencontradas daquelas pessoas estupefatas diante de uma catástrofe inaudita. Eu olhava para cima, andava entre eles, vozes confusas, os corpos suados, escapando da fúria, seres ainda sem identidade e sem história.

Joana ficou perto de mim o tempo inteiro. Ela ia me apresentando para as pessoas, dizendo que era o professor que veio pesquisar em Almofala e demonstrava ter orgulho de ser a minha guia. Notei no primeiro dia como todos conheciam Joana, sabiam seu nome. Algumas daquelas pessoas foram meu amparo nas horas de sofrimento que viriam mais tarde.

Um homem gritou para que fossem buscar chibatas, chicotear a areia para tornar mais fácil a retirada. Não parecia que cederia com facilidade, mas o clamor coletivo era sensível a todo risco àquela altura. A partir daquele dia não houve sossego. A qualquer hora do dia alguém estava lá, removendo, chicoteando.

— Mas o que estava acontecendo, afinal?

Pouco tempo depois a igreja ficou completamente soterrada sob a duna grandiosa no centro da cidade. Foi rápido e começou no dia em que cheguei.

A explicação científica está na direção e na força dos ventos na região, as dunas móveis. O vento Leste sopra da praia para a aldeia e foi ele quem movimentou a duna móvel que cobriu a igreja. O estudo dos ventos e da dinâmica de voo dos grãos de areia parecia suficiente para justificar o enterro da construção. Mas Joana me contou a outra versão: vingança dos Encantados. Segundo o relato dela, a igreja foi presente da Coroa portuguesa para os tremembés, que já eram os donos daquela faixa de praia do Pará até o Rio Grande do Norte. As palavras saíam da sua boca para me enlaçar e eu nem percebia. Talvez sua segurança, sua energia, sua fala abrissem janelas no meu pensamento.

Quando os portugueses chegaram aqui, ela continuou, tiveram de lidar com os donos legítimos da terra e propuseram a troca, em uma primeira negociação que parecia pacífica.

Foram os tremembés que acharam uma linda imagem de Nossa Senhora da Conceição na areia, como aconteceu tantas vezes em terra de Ultramar. Era pintada a ouro e sob a luz do sol do meio-dia parecia uma chama de fogo, por isso a chamaram de Labareda. A princípio os tremembés fizeram um lugar modesto para adorar a santa. Os portugueses reconheceram o valor da imagem, o ouro da pintura e pediram que a entregassem em troca de um presente: uma igreja para os tremembés, construída por eles.

Joana me contou que a coisa mais linda dessa construção foi saber que eles traziam os búzios da praia, pisavam em pilões e misturavam à cal. Chamavam de cal de mariscos. A igreja tem a alma do mar, ela dizia. E encostava o ouvido, dizendo escutar as ondas por dentro das paredes, a força dos oceanos.

A madeira e as pedras de construção vieram da Bahia, cortadas e talhadas pelas mãos de homens e mulheres escravizados nas terras de lá. Chegaram pelo rio Acaraú, por isso a construção foi demorada. Feita de búzios do mar de Almofala, dinheiro português, madeira baiana, suor dos escravizados, trabalho dos tremembés. Um acordo.

Os tremembés dançavam o Torém, seu ritual sagrado, diante da igreja. A promessa de paz e troca não foi cumprida e eles foram massacrados pelos portugueses. Fugiam pela mata para escapar da morte. Dizimados. Os que ficaram resistiram como foi possível, seguem resistindo. Mataram parte da alma de todos nós. E por isso veio a vingança do enterro da igreja.

— Essa era a explicação de Joana?

— Sim, com segurança. Foram os Encantados que cobriram a igreja, por vingança, sim. Porque depois resolveram descobrir, desenterrar, revelar, ninguém sabe. Mas lá estava naquele dia a areia inclemente, devorando a igreja, a aldeia em pânico, gente vindo de outros lugares. O vento em fúria levava os grãos na sua cauda e era impossível ficar na mesma direção sem sentir golpes no corpo.

Tudo no dia da minha chegada. Tudo no dia em que Joana chegou para mim. Uma coisa imensa e irremediável começava a acontecer na minha vida sem que eu percebesse.

Aos poucos eu a enxergava. Primeiro a boca, porque ela falava tanto que não se poderia ver outra coisa. Era uma flor de carne viva e me atraía a todo instante em que estávamos juntos.

— O que mais ela disse sobre o fenômeno, neste dia?

— Aquela igreja era o centro da sua vida, só muito tempo depois eu entendi o motivo. Não consigo esquecer o que ela disse, sobre termos nós todos, brasileiros, uma parte da alma assassinada. Eu sentia um pedaço da minha própria alma morta também. Até ser devolvida por ela. Parecia que por todos esses anos antes do nosso encontro ela guardava algo que era meu e me devolveu quando nos encontramos.

Descobri que seus olhos eram de um verde escondido, que só aparece perto do sol ou quando se está feliz. Quando chorava também clareava sob o lago de lágrimas.

Foi a partir disso que minha vida perdeu a razoabilidade. Tudo parecia uma narrativa conduzida pela força dos sonhos, meu corpo não era mais comandado pela minha vontade. Demorei a aceitar a chegada do amor, da força irracional que voou pelo ar, entrou por todos os poros e nunca mais saiu. Em biologia chamamos isso de simbiose. Agora a memória dela é meu epífito, minha orquídea viva nesta árvore antiga que me tornei.

Quando falamos pela primeira vez sobre nossos sentimentos, Joana disse que era algo imenso dentro do coração. Tinha olhos clarividentes, sua alma sabia, apenas sabia. Ela sempre viveu entre dois mundos. O pensamento de Joana alcançava o eterno. Estar na sua presença era, ao mesmo tempo, uma experiência profundamente idílica e erótica.

— Em macua Joana seria chamada de Muthiana Orera.

— O que é isso?

— Mulher bonita. Mulher mais que bonita.

— Joana é a mais bonita de todas.

— O senhor ainda ama essa mulher. Ainda a amaria, se a visse agora?

— E por que a raiva na sua voz? Você também ouviu coisas sobre ela?

— Não estou com raiva, talvez só impressionado com um sentimento que dura tanto.

— Dura o tempo da tormenta. Eu rezei pela paz do esquecimento, mas Deus nunca me ouviu. Tentei o caminho da fé. Tenho pena de não ter nenhum retrato dela e de não poder ver mais seu rosto. Eu mostraria ao senhor como era bonita, a Joana.

— Estou convencido de que é mesmo, senhor Miguel, mas eu gostaria de voltar ao começo e saber como ocorreram as coisas até ela desaparecer.

— Vou contar tudo, mas deixe-me falar dela assim com calma. O senhor pediu para ouvir, tenho a educação de contar, pois deixe-me que fale do meu jeito, enquanto tenho tempo. É o que posso fazer por mim. De Joana me sobraram apenas as lembranças.

3.

— O senhor, sendo um biólogo, um homem da ciência, talvez tenha tido dificuldade em acreditar no fenômeno do soterramento como algo místico, eu imagino.

— Claro, vento e areia são forças concretas. Mas ao mesmo tempo era impossível não me deixar impactar pelo que eu via acontecer. O alvoroço não parava porque a casa de Doralice ficava logo em frente, virou ponto de parada dos visitantes, amigos e parentes que vinham das cidades vizinhas para ver de perto a igreja sendo enterrada. Joana aproveitou para organizar um tabuleiro de venda de torta de banana com café e não parava de correr entre a cozinha e a calçada.

Meu quarto ficava mais ao fundo do terreno, mas nos dias em que eu ficava estudando os mapas, fazendo meu roteiro, bastava sair do quarto e em qualquer lugar que alguém pediria minha opinião. Eu era o professor que veio de fora, imaginavam que eu trouxesse alguma sabedoria desconhecida. Mantive o olhar científico: a areia cobriu a igreja porque ela estava ali pelo meio, é lógico, de frente para o poente e de costas para o nascente. Cobriria a vila toda se ela não concentrasse a duna em torno de si. Formou uma barreira, por isso confiavam na ideia de que a igreja salvou a todos. Tentei ao máximo não me impressionar com o clamor geral, aquela histeria, a narrativa mística tentando preencher as lacunas de um fenômeno que só o tempo iria explicar.

Confesso que a confusão me distraiu. Cheguei cansado e pensar naquelas coisas me tirou completamente das preocupações reais da vida. Porém não era possível adiar mais a minha programação. Eu precisava começar.

— O que era exatamente a sua pesquisa, senhor Miguel?

— Minha ida à Almofala tinha o objetivo de colaborar com o levantamento da diversidade do cavalo-marinho *Hippocampus reidi* no Brasil, era parte da minha pesquisa na universidade. Existem mais de cinquenta espécies de cavalos-marinhos no mundo, mas aqui temos apenas três, e o *reidi* sofre ameaça de extinção. Meu grupo de pesquisa trabalhava no mapeamento dos comportamentos dos casais, na dinâmica populacional, preferências alimentares, dimensões, material genético e principalmente na análise do risco de extinção por ação do homem. Na China, por exemplo, vendem pó de cavalo-marinho como remédio para estimular a ereção masculina. Há a pesca para a venda no artesanato, confecção de brincos e colares de estúpido mau gosto.

Então soubemos da existência de um santuário de cavalos-marinhos no litoral cearense, já quase na fronteira com o Piauí, mas sem informações precisas do lugar. Solicitamos uma verba para a pesquisa planejando uma expedição ampla, mas o valor que conseguimos só deu para a minha aventura. Escolhi Almofala como ponto de pouso meio às pressas, na lógica de ser um ponto equidistante entre a localização dos dois santuários.

Almofala tem mar manso, dois rios, a areia é cheia de uruanã, tem coqueiral a perder de vista. Uruanã, o senhor conhece? É uma tartaruga muito grande. Do casco dela as crianças faziam bacia para tomar banho. Elas desovavam na praia e saíam para o mar. Vi muita uruanã pequena nascendo. Já nasce e anda para água, é o destino delas. Mas voltam. Os anos passam e elas sabem o ponto certo para voltar. De vez em quando a praia de Almofala enchia de uruanã e a gente ia ver. Lembrei agora como se pisasse na areia. Desculpe esse meu choro, é antigo demais. Eu não vim para cá porque decidi, mas Joana garantia que foi vontade dos Encantados e do vento Leste.

— Hoje o senhor acredita, então?

— Não tive outra opção, mas isso é hoje. Depois de tudo. Quando cheguei estava firme na seriedade do meu trabalho. Apesar da confusão da igreja eu precisava começar, aprender a andar sozinho, descobrir onde ficavam as coisas, explorar a área, produzir desenhos e meu diário de campo. Logo no segundo dia, no fim da tarde, fui comprar uma fatia de torta de banana e conversar com Joana sobre isso.

Pedi que não me chamasse de senhor, por favor, apesar de ser mesmo mais velho que ela. Não tanto na quantidade de anos, mas no espírito. Eu me achava muito sábio, um homem vivido, mas eu era um tolo. Como alguém julga que sabe algo da vida se não viveu um amor? Um grande amor acidentado assim, que domina os dias e as noites dos pensamentos? Que quanto mais parece impossível, mais toma conta? Que não deveria ter acontecido e que nunca mais deixa de acontecer por dentro?

Ela tinha interesse pela minha vida, queria saber da pesquisa, ajudava com a rota. Graças ao meu novo hábito de comer torta de banana todos os dias, acabávamos por conversar bastante. Eu pedia informações sobre como chegar nas praias, por exemplo.

Há um coqueiral daqui até o mar, o senhor precisa pegar uma trilha, ela explicou. Pode me chamar só de Miguel, eu disse. E ela prosseguiu, ensinando que havia uma trilha e que seria melhor atravessar acompanhado, oferecendo de imediato os seus préstimos. Não demorei a aceitar, já contava com isso. Iríamos juntos no dia seguinte.

Ela calculou que levaríamos meia hora da casa de Doralice à praia. Da primeira vez eu ficaria pouco tempo, era mesmo um reconhecimento do caminho de ida e volta.

Os cavalos-marinhos não ficam tão perto, ela explicou. Pelo que já soube estão mais para o lado do rio Acaraú, na Camboa. E lá perto de Tatajuba, mais longe, mais difícil de chegar.

Joana tinha razão. O coqueiral era um pouco inóspito para quem não conhecia. Aceitei a sua ajuda de me guiar. Por isso, mas também para estar com ela, sem que eu tivesse muita consciência do que estava fazendo e do que poderia acontecer.

O combinado era que ela me ensinaria a trilha uma ou duas vezes e depois eu iria sozinho, mas Joana foi comigo quase todos os dias. Arrumou seu horário de trabalho para me fazer companhia e no começo teve de inventar desculpas, mas depois não foi mais possível mentir.

Agradeço a cada árvore, a cada folha no chão, aos troncos antigos, aos frutos que caíam perto de nós e faziam Joana rir como criança, de susto, medo e graça. Que sorte, quase foi na sua cabeça, ela brincava. O caminho parecia isso, uma brincadeira. Por vezes sentávamos um pouco. Joana sempre andava com um punhal que servia para tudo. Ela abria o coco, tomávamos ali mesmo, encostando a boca no fruto, a água fresca e doce passou a ser, para mim, o primeiro gosto da presença dela.

Começávamos a conversar na trilha, continuávamos na beira do mar enquanto eu observava os búzios que eram deixados na areia pelas ondas, analisava a temperatura da água, fazia fotografias de toda a praia para começar a construir o material de documentação.

— Como era o comportamento dela? Mais tímida, mais expansiva? Calada? Tinha boa memória?

— Joana falava muito, impossível esquecer. Não faltava assunto nunca. Quando não estava falando sobre seus pensamentos, contava histórias das pessoas de Almofala. Eu não cansava de ouvir, era excelente a sua memória, não escapava nenhum detalhe. Ela poderia passar o dia inteiro narrando qualquer coisa e eu estaria ao lado com os mesmos olhos atentos porque foi assim que aos poucos eu me apaixonei: ouvindo suas histórias.

— Ela falava do passado, da família, da vida dela?

— Sim, contava o que sabia, mas sua infância tem um pedaço muito triste. Quando ela desapareceu soube de mais coisas, por causa de dona Malba.

— Quem é essa senhora, ainda é viva? Tem parentes?

— Ela é uma pajé tremembé, muito respeitada e temida. A mãe de Joana, mas não de sangue, ela a adotou quando tinha somente dezoito anos de idade. Quando Joana sumiu Malba tinha quarenta anos, então hoje deve ter oitenta e nove. É uma história que tenho pena de lembrar. Isso eu confesso que não sei se consigo contar sem emoção e talvez não seja bom, na minha idade, forçar o coração tanto assim.

— O senhor precisa descansar um pouco, então. Posso voltar amanhã.

— Posso chamá-lo de Jorge?

— Claro que sim.

— Pois fique, Jorge, não vá embora. É melhor para mim falar tudo de uma vez.

4.

— Por que o senhor escolheu os cavalos-marinhos para sua pesquisa?

— Foi uma decisão do grupo, na universidade, mas há algo neles que sempre me fascinou, um peixe que é tão diferente dos outros peixes, que existe tão consciente de sua elegância e que comove pela inocência diante de sua absurda fragilidade. Comem pequenos crustáceos, tem baixa mobilidade, lentos, eretos pelo mar como majestades sem pressa e por isso são vítimas da pesca indevida para fins estúpidos. Estou falando demais?

— Prossiga, por favor, eu gosto dos detalhes.

— São elegantes, os cavalos-marinhos, sou atraído por sua imponência desde criança. São os reis e as rainhas das águas, mesmo pequenos e frágeis.

Quem estuda tudo o que não é ligado ao homem, a esse bicho atrasado que somos, talvez consiga viver mais em paz. Foi por isso que escolhi a biologia, porque não entendo a condição humana o suficiente para me cercar dela na vida inteira. É tudo sempre nebuloso, é mais fácil pensar nos bichos e nas plantas.

— Ao menos somos mais fortes.

— De modo algum, somos ainda mais frágeis. Os perigos que nos rondam são de muitas ordens. Não é só viver e morrer, não é simples, não é honesto. A vida pode ser injusta, cruel e inclemente para nós que pensamos, que sentimos coisas.

— E eles não sentem nada?

— Eu acredito que os *Hippocampus* sentem amor à sua maneira, o amor que a biologia prevê. Mesmo quem conhece pouco sobre eles sabe que, entre os cavalos-marinhos, quem engravida é o macho. Ao redor disso giram muitas especulações sobre a vida afetiva e sexual dos *Hippocampus*. Vários laboratórios pelo mundo dedicam-se a observar como machos e fêmeas convivem quando estão sós, em grupos, com outros por perto.

Por exemplo, eles não gostam da solidão. Todo cavalo-marinho está sempre acompanhado. Expliquei tudo isso para Joana logo na ida inicial à praia, pela trilha dos coqueiros, pois sua primeira pergunta foi sobre o que seria exatamente o meu trabalho em Almofala.

Lembrei de um chinês, acho que o nome era Wang Tai-Hai, viajante do século XVIII, que assegurava que os cavalos-marinhos, quando vinham para terra firme, viravam cavalos iguais aos outros, muito mansos e dóceis. Se fossem banhados voltavam à forma original. Há outro texto curioso, do Plínio, dizendo que os cavalos-marinhos em Lisboa saíam do Tejo em busca de fêmeas e as fecundavam com o vento. Não sei como ainda lembro dessas coisas todas, nesta idade. São lendas que enfeitam a ciência, que divertem e distraem um pouco.

O assunto da primeira travessia da trilha dos coqueirais foi esse, os cavalinhos, como ela chamava. Contou que conhecia um pescador que de vez em quando trazia umas joias do mar, búzios brancos como nuvens, pontiagudos, gigantescos, outros rajados como fera, de face polida e brilhosa, parecendo porcelana. Uma vez ele trouxe um cavalo-marinho dentre seus achados, mas não deixou que ela ficasse com ele, era uma encomenda para proteção. Ele era dragão, ela explicou, um dos Encantados da Corrente do Mar. Protege os tremembés que saem para a pesca. Também é usado para bronquite, ela explicava, cansaço no peito. Tem que fazer chá e dar para o doente beber sem saber o que está bebendo, mas não pode matar para isso, só serve se for um bicho já encontrado morto.

O amor dos cavalos-marinhos parece um balé, contei para Joana. Os machos cortejam as fêmeas com uma espécie de dança. Alguns ficam com o mesmo par a vida inteira. Não há ainda nenhuma pesquisa que explique o que faz um casal permanecer. O que sabemos é que eles não conseguem levar a vida sozinhos, não são solitários, não andam em bandos numerosos. Gostam da vida a dois.

Cheguei aqui conduzido pela ciência, mas comecei a perceber que alcançava um estado de paixão por Joana quando me peguei pensando no possível romantismo dos *Hippocampus*, na sua maneira de amar, se sentem algo parecido com o que chamamos de amor ou se atingem uma esfera muito mais elevada do que a nossa.

Ainda não entendemos nada sobre o amor, talvez para eles seja mais fácil. Ainda atravancamos o coração com todos os empecilhos, ainda tememos, agimos errado, somos tão estúpidos, perdemos tanto, deixamos tudo ir embora quando seria tão simples sermos felizes aos pares.

— E o senhor foi feliz com Joana?

— Fui muito, como nunca mais consegui ser. Com ela era simples estar contente. A boca, o corpo, o sorriso dela, a inteligência, a força. Um milagre da vida que poderia não ter chegado ao dia em que a vi. Eu passaria o resto da vida ensinando a ela tudo o que sei, mas ela sempre saberia muito mais.

5.

Joana virou minha parceira de pesquisa. Com uma semana eu não tinha visto nenhum cavalo-marinho e com a ajuda dela conversei com os pescadores, os sábios do mar e descobri que a maior concentração de *Hippocampus reidi* na região estaria perto de outra praia, chamada Tatajuba, no rio Coreaú. Foram somando informações, indicações e descobri como chegar.

Ir de Almofala a Tatajuba envolvia certo arranjo, eles explicaram. Decidi fazer uma primeira visita de exploração sem ainda levar o equipamento de mergulho. Levaria quase um dia inteiro. Precisava entender, falar com as pessoas do lugar, saber como era a relação deles com os bichos, com o ambiente. Eu me comportaria como um turista para ver a situação real.

Para ter permissão de ir comigo Joana precisou passar a madrugada sem dormir e preparar as tortas de banana do dia seguinte, resolver todos os pedidos de Doralice, cumprir com suas obrigações.

Saímos muito cedo, ainda escuro, levando comida, água, tudo o que fosse necessário. Os cavalos-marinhos ficavam na área do mangue com vegetação e precisávamos entrar no barco de um dos pescadores que estavam ali pegando siris e peixes. O barqueiro nos disse que já aconteceu muitas vezes de ficar horas e nenhum cavalo-marinho aparecer. Joana queria muito ver os cavalinhos, ficaria desapontada. Eu também. Sei que ainda iria muitas vezes, eu estava ali para isso, mas ver os primeiros me faria sentir começando. Aluguei a canoa por três horas, devolveríamos depois e fomos devagar pela água.

O barquinho movia-se lentamente, mas sei que mesmo assim isso os fazia se esconder. De qualquer maneira, por mais cuidadosos que fôssemos, nossa presença perturbava o que deveria ser o equilíbrio natural do ambiente deles.

Creio que ficamos mais de uma hora à espera, sem sucesso. Joana decidiu sair do barco para nadar. Era fundo, o rapaz avisou, mas ela disse que nadava bem e seria só um pouco. Pulou na água de vestido. Nadou leve pela água e ficou parada em um ponto específico, sustentando o corpo com o movimento das pernas. Não demorou para que ela fizesse sinal com o braço e eu fui ao seu encontro.

Estava emocionada e eu também. Havia ali um casal de cavalinhos. Ela imaginou que fosse um casal, eu sabia pelo tamanho e detalhamento dos corpos. Que sorte.

Eu deveria estar preocupado com a observação científica do ambiente, dos bichos, o horário, os modos, mas quando Joana retornou ao barco eu não poderia pensar em nada além dos seus olhos, e foi naquele dia, na volta para a vila, que começamos a nos aproximar. Nos beijamos sem que fosse preciso dizer nada, nenhum preâmbulo ou pedido. Ela veio para mim, aproximou o rosto e me beijou. Existirmos no mesmo tempo era o suficiente para que, a partir dali, a vida ganhasse outro sentido.

— Como era sua vida, senhor Miguel, antes de conhecer Joana?

— Era solteiro e estava decidido a ficar assim por um tempo. Tive algumas namoradas em Recife, um encontro aqui, outro ali, quando acontecesse, mas não queria saber de paixão. Estava convencido de que isso só atrapalhava a vida. Mas continuando... quando chegou a hora de devolver o barco, o pescador perguntou se eu não queria ir até a praia de Tatajuba, ver a vila enterrada.

— A vila enterrada? Do que se trata?

— Em Tatajuba o vento cobriu tudo e nunca desenterrou. Joana concordou, é claro. Já conhecia, mas queria ver de novo. Tinha ido quando criança. Na verdade, Tatajuba era só o areal de uma praia bonita. Aqui e ali era possível ver um pedaço de telhado, a alvenaria de alguma casa. Andávamos subindo os morros, estava muito quente e achei que fosse desmaiar. Joana percebeu. Ali tem um lugar que vende água de coco. Parecia miragem. Uma casa de taipa com uma mulher na janela. Sozinha, sem mais ninguém ou nada ao redor. Juntava os cocos e vendia, para quem quisesse. Por sorte eu levava dinheiro e pude me sentar um pouco. Perguntei sobre Tatajuba e ela disse que era criança quando o soterramento começou. Narrava quase como se rezasse. Eu ainda tinha dificuldades com o sotaque e não entendi tudo, até porque ela falava rápido e para dentro.

Apontava para o nada e anunciava: ali era a casa do meu pai, ali a escolinha, ali a igreja, ali o posto de saúde, onde tem aquela árvore era a casa da minha avó, ela tá lá dentro ainda, não quis sair, morreu. Ali é a bodega do meu tio, todo mundo era parente em Tatajuba. Esse caminho todinho aqui, até lá, era um riozinho que passava até o mar. Passava barco por aqui e um teimoso entalou ali na frente. Tá vendo aquela duna? É um barco embaixo, eu tenho aqui as fotos.

A parede interna da palhoça era coberta de fotografias desbotadas pelo sol e pela maresia. Deu pena, tive vontade de ajudar, fotografar de novo, providenciar umas cópias. Eram o tesouro da vida dela.

Vimos as casas, a Tatajuba viva. Ela posicionava os quadros para explicar onde ficava cada coisa. Joana estava estupefata com tudo, mas a coisa que mais chamou a atenção foi a foto do barco. Todo branco, com o nome bem grande em letras azuis: *Coração do Mar*.

Dizem que quem chega perto escuta uma música de amor, a mulher contou. Eles acham que as almas ainda estão por lá, tentando ver se de madrugada conseguem botar o barco de novo no mar para terminar a viagem. O dono morreu de desgosto porque não fez o que prometeu à mulher.

— E o que foi?

— Esse homem era doido de amor por ela. O sonho dela era ir para o alto-mar, cruzar o oceano, voltar para a terra deles. Era um barco grande e, de tanto teimar, ficaram presos no rio bem no tempo da tempestade de areia.

— E eles eram de onde?

— Ela não sabia dizer, só contavam que eram do estrangeiro. Só esse casal, o barco azul e branco, uma estrela-do-mar desenhada.

Joana não conhecia essa história. Teve medo e fascínio, mas pediu para ir embora. Eu também estava bem cansado. Ela foi calada, chegou triste a Almofala. Na hora do jantar, como sempre, contou a história para quem estava por lá.

O engraçado é ter estado com ela e ver que sua forma de contar as coisas melhora a realidade. Havia sempre algo que ela via e que eu não tinha notado. Por exemplo, a pena que ela teve do casal que não pôde realizar o sonho de ir embora. Tentei consolar dizendo que seria difícil singrar o Atlântico com uma embarcação pequena, e ela respondeu que o amor é maior que o mar inteiro.

— Senhor Miguel, imagino que estejas muito cansado. Já andamos nessa conversa faz tempo.

— Estou sim, Jorge. Já está anoitecendo e eu gosto de dormir cedo.

— Posso voltar amanhã? Tenho só mais duas perguntas.

— Quais são?

— A primeira, é sobre a vida de Joana. Tudo o que o senhor sabe sobre ela, a família, a infância…

— Talvez amanhã, mais descansado, eu consiga falar. E a outra pergunta?

— Como ela desapareceu. O que aconteceu, de fato.

— Eu não sei, Jorge. Ninguém sabe. Não tenho essa resposta.

— Mas o senhor deve se lembrar da última vez em que ela foi vista. Quais as circunstâncias do desaparecimento. O que fizeram com ela.

— Isso sim, eu sei. Mas como sumiu, por quê, para onde, ninguém sabe.

— Que horas posso voltar amanhã?

— Bem cedo. Sete da manhã. Não venha a minha casa, vamos marcar na praça, nos bancos do lado da sombra.

— Estarei lá. Boa noite e muito obrigado.

— Ainda não sei se devo agradecer ou amaldiçoar seu nome, Jorge. Vai depender dos sonhos dessa noite. Passei todos esses anos sonhando com Joana. Quando não sonho, acordo triste. Minha única chance de estar com ela de novo é no segredo da noite.

6.

— Foi melhor conversarmos aqui porque minha mulher está desconfiando de que o seu assunto não é sobre a história de Almofala. Já me perguntou, fiquei calado. Não suporto mentir e para ela não adianta. Precisei vir conferir minha pressão, não estou muito bem e ela sabe. Notou que chorei de noite, que tive um sono inquieto e acho que dá para perceber que estou sonhando com Joana. Prefiro não aborrecê-la, e essa será nossa última conversa, pode refazer aquelas suas últimas perguntas. São duas.

— Quero saber, senhor Miguel, quem é Joana. Sua família, sua vida, tudo o que puder me explicar.

— Por que o passado dela lhe interessa?

— Porque pode haver alguma chave para entender o desaparecimento.

— Há coisas que não se sabe bem, nem ela mesma sabia. Joana foi abandonada ainda bebê, com menos de dois meses, dentro da igreja. Ainda viram a mulher, sua mãe, mas quando notaram a criança, ela tinha sumido. Ninguém sabe se é alguém de Almofala ou de fora, essa mãe nunca mais apareceu, não há pista.

Deixou a bichinha toda enrolada em um pano dormindo aos pés da santa. Foi um alvoroço na vila. Primeiro correram para tentar encontrar a mulher, mas a única pessoa que a viu disse que ela conseguiu fugir atravessando o cemitério.

Enquanto discutiam o que fazer, chegou dona Malba, a jovem pajé dos tremembés e disse que ela tinha sido avisada que deveria buscar a criança e cuidar dela. O povo da vila não desobedece a autoridade dos tremembés, muito menos de dona Malba, com sua voz baixa, que não duvida nem por um segundo dos recados que recebe do céu.

Joana foi criada por ela, na sua casa de cura, que fica um pouco afastada daqui, perto da lagoa. Foi lá que ela aprendeu tudo e foi se transformando nessa criatura tão querida e temida em Almofala.

— Por que temida?

— Porque Joana via os mortos. Dava recados às pessoas de quem partiu. Desde pequena tinha visões e dona Malba cuidava de sua educação espiritual para que servisse e aprendesse as rezas. As orações secretas foram todas ensinadas a ela. Só quem sabia era dona Malba e Joana. Tinham medo dela por vários motivos.

— E quais?

— Não fui o único homem apaixonado por Joana nesta vila. A minha história é a mais emblemática porque fiquei aqui, esperando o desenterro da igreja, fiquei por ela, por sua memória, nunca consegui ir embora. Dizem que fui enfeitiçado e talvez tenha sido.

— E esses outros homens?

— Nunca perguntei a ela, tudo o que soube veio depois. Há a situação de um homem casado que quase enlouqueceu. A cidade soube, a esposa soube e ele teve que ir embora daqui.

— São muitas coisas para uma mulher só.

— Sim. Joana era um enigma, uma criatura intensa que não poderia ter um fim que não fosse como foi, um encantamento misterioso que nunca foi decifrado.

— Então era órfã.

— Completamente. Não sabia nada de sua origem e isso a fazia sofrer. De vez em quando chorava, às vezes virava uma menina insegura nos meus braços. Os olhos mudavam e eu tinha muita vontade de proteger, de cuidar dela, de salvá-la, mas não fui capaz.

— O namoro de vocês foi explícito, em algum ponto?

— Todos souberam, principalmente depois do sumiço, porque me desesperei. Mas o tempo passou e eu refiz minha vida. Casei com Tereza, tive uma filha, uma neta e o nome Joana é proibido lá em casa. Um dia Helena me perguntou e eu contei. É só com ela que de vez em quando converso. Ela gosta dos tremembés, dança o Torém com eles quando tem festa diante da igreja. E tem fascínio pela memória de Joana.

— Sua mulher não gosta.

— Não, mas ela teve que colocar esse limite para que tivéssemos uma vida de casal. Ela a conhecia. E no fundo sabe que eu não poderia esquecer, viu meu choro, meu sofrimento. Há algo a dizer ainda: não era possível passar por Joana sem ser tocado de alguma maneira. Com ódio, amor, atração, o que fosse.

— E pena?

— Ela não permitia. Não relembrava a ninguém sobre sua história. Para mim, sim, ela contou o sentimento de abandono, chorou muitas vezes. E me contou que dona Malba disse que órfãos costumam ser preparados para grandes missões. Aprendem desde cedo que há muita fortaleza na solidão.

— É triste, senhor Miguel.

— Ela tinha um lado triste, sim, mas disfarçava. Era trabalhadora, estudou, terminou o colégio e ficou trabalhando com Doralice na hospedaria. Fazia comida, faxina, resolvia o que fosse preciso. Joana nadava muito bem. Muitas vezes ficamos na praia de noite, de dia cedinho e ela parecia uma sereia do além-

-mar, ia para longe, eu perdia de vista. Nadávamos no rio também, ficávamos muito tempo no barco para ver os cavalinhos. Em tudo, por tudo, ela foi um talismã para mim. O que sei sobre alegria, aprendi com Joana.

— Tenho uma segunda pergunta, gostava que fôssemos mais diretos no que preciso de saber.

— Vou pegar uma cerveja. Não gosto de falar disso, preciso beber para aguentar. É só hoje.

7.

— Pois bem, a segunda pergunta é sobre o desaparecimento.

— Sim. Tudo o que o senhor souber.

— É melhor falar com dona Malba. Ela ainda está viva, só não sei se vai querer contar nada, ela nunca falou para ninguém. O pouco que disse foi para mim, pelas circunstâncias.

Começamos o namoro, como falei antes, sendo muito cuidadosos para que não fôssemos vistos. Primeiro por uma questão de discrição mesmo, éramos solteiros, não havia nada que nos impedisse. De sua parte era preocupação que só entendi depois, o medo de que falassem mal dela para mim.

Encontramos nosso esconderijo em uma casa de pescador que ficava na praia. Era bem pequena, de taipa com pau de marmeleiro e os homens usavam para passar a madrugada antes de ir bem cedo para a lida, guardar material de pesca. Lembro do som das ondas cantando dentro de casa no escuro, o assovio do vento, como se estivéssemos em alto-mar.

Era a Casa dos Cavalos-Marinhos. Fomos enfeitando com as coisas que eu encontrava pelas pesquisas, as estrelas, os cavalinhos. Às vezes improvisávamos uma mesa, ela levava grolado com beijupirá, pirão, as comidas de Almofala.

Bonito era ver os olhos dela para mim quando eu explicava a ela os termos e conceitos da biologia. A piracema, movimento dos cardumes, quando eu pronunciava palavras raras como forame, fenestra, ela me beijava e falava baixinho que eu ficava lindo ensinando o mundo para ela. Quando ela se encantava pela lua cheia, eu dizia que isso era selenofilia, paixão pela Lua, nictofilia, amor pelos astros. Dessa forma eu via nos olhos dela o homem lindo que sua boca anunciava. Justo eu, que nunca me achei nada bonito, caprichava nas explicações, gostava mais de ser biólogo para ganhar esse amor. Na nossa última noite choveu. Estávamos felizes porque conseguimos armar uma rede, ela gostava. Mandou que eu deitasse primeiro e ela se sentou por cima de mim, como sempre preferia fazer, e brincava de fazer a dança dos hipocampos. Quando nos abraçávamos, quando eu estava com ela, dentro dela, perto dela, o lugar onde naturalmente eu me sentia completo, nada faltava, nenhum mal poderia acontecer.

— Não é necessário chegar a tantos detalhes, senhor Miguel, eu só preciso realmente saber como ela desapareceu, quem era ela.

— O senhor chegou na minha casa, vindo lá do quinto dos infernos me perguntando sobre Joana, agora quer me ensinar a contar a história? Sendo assim, eu paro.

— Senhor Miguel, por favor, me conte. E me desculpe, mas me diz como ela desapareceu.

— Falo do jeito que quiser. Tenho a impressão de que o senhor se irrita quando conto detalhes de homem e mulher, qual é o problema? O senhor é padre, pastor, é o quê? Vai ficar ou vai embora? Ficou? Então escute.

— Estou aqui para escutar.

— Aquela foi nossa última noite juntos, por isso preciso falar. Nós conversamos sobre a vida, falamos da situação da igreja, que já estava quase toda tomada pela areia. Havia um boato de que os padres de Fortaleza e Acaraú estariam aqui em Almofala muito cedo, para resolver o que fazer da igrejinha, e Joana estava preocupada porque disseram que eles viriam buscar as imagens.

— E o que ela tem a ver com as imagens? Não percebo a ligação, me desculpe.

— A Nossa Senhora da Conceição foi encontrada na praia pelos tremembés, e Joana defendia que pertencia a eles, a Labareda, isso o senhor entendeu? Pois.

Os Encantados, para os tremembés, estão no céu, na terra, na água e no ar. O fogo é um encantado poderoso. O pajé que encontrou a Labareda era antepassado de dona Malba, e o fato de Joana ter sido deixada a seus pés justificava mais ainda a sua veneração. Todos os dias ela ia até a santa e falava com ela. Rezava a seu modo. Se a igreja estivesse fechada por algum motivo, ela entrava pelo telhado para fazer sua oração. Muitas vezes viu espíritos lá dentro, de tremembés, de padres portugueses, e sabia de coisas que nós nunca soubemos. Nunca mais entrei lá. Não tenho coragem. Nas celebrações sempre fiquei do lado de fora. Nosso casamento foi realizado em outra igreja de Itarema, porque eu não quis voltar ali.

Pela importância da Labareda para os tremembés e pelo boato de que a santa seria retirada de lá, correndo o risco de nunca mais voltar, Joana estava apreensiva. Contou que estaria muito cedo na igreja, no dia seguinte, para ver o que aconteceria. E assim fez.

O que aconteceu é que, com o soterramento cada dia mais evidente, o povo daqui pediu para tomar conta da imagem, mas não permitiram. Disseram que era propriedade da diocese e que precisava ficar em uma igreja da capital até que a situação fosse definida.

— E como se resolveu?

— Eles chegaram aqui um dia por volta das cinco horas da manhã. Vários homens da diocese, padres, mulheres da capital. Vieram para rezar a última missa, pedir a Deus que evitasse a destruição pela areia e para levar as imagens. Há uma foto desse dia. Areia pela metade, as pessoas na porta, marcando o fechamento oficial.

Joana veio para a frente da igreja e interrompeu a missa. O padre Alfredo rezava e ela interrompeu, dizendo que ninguém levaria a Labareda dali. Estava com vários homens e mulheres tremembés, com sua mãe Malba, certos do direito da posse da imagem.

Começou uma briga de palavras e gritos. Joana não tinha medo. O tal padre Alfredo a insultava, chamava de prostituta, pecadora, mas não era isso que a ofendia. A pior injúria foi dizer que a santa era de Portugal e foi roubada pelos tremembés. Nunca houve roubo, ela foi encontrada, adorada, a construção da igreja era um acordo que foi traído e desfeito, havia muito sangue tremembé derramado, ela não controlou a ira e correu para a igreja, para pegar a santa que já estava sendo retirada. O padre tentou dominá-la segurando seus braços, Joana mostrou o punhal. Os capangas que vinham junto partiram para cima dela, bateram em Joana, que lutou e ficou muito machucada.

Até que aconteceu o pior. O padre deu a volta por trás para segurá-la, mas ela foi mais rápida e enfiou o punhal na barriga do homem. Puxaram seu braço, foram atrás dela. O povo gritava "Mata, mata, Joana Camelo! Mata Joana Camelo!".

Quem estava perto disse que fizeram nela um corte fundo no braço, que ela sangrava muito quando entrou correndo na igreja pela janela, escalou como era acostumada a fazer quando pequena, afundou na areia e nunca mais foi vista.

— Alguém entrou atrás dela?

— Eu entrei um tempo depois. Doralice entrou na hora. Várias pessoas pularam lá também, procuraram na areia, querendo vingar a morte do padre Alfredo.

Havia sangue nos lugares em que ela tocou, na janela, na parede. Foram dois dias de buscas, uns para salvar, outros para prender Joana. O soterramento acelerou, a igreja foi totalmente coberta e demorou meses para podermos voltar e muitos anos para que o vento Terral soprasse em sentido contrário e pudéssemos limpar a igreja de novo.

— E a senhora, a pajé, o que falava?

— Fez silêncio. Observava tudo em silêncio, como se não houvesse nada a fazer e ela estivesse certa disso.

Tem gente que garante que ela morreu na hora e sumiram com o corpo, outros dizem que ela sumiu porque quis, correu para o coqueiral e vive escondida com os tremembés até hoje. Pelo sofrimento de dona Malba eu não acredito nessa versão, ela perdeu um pouco o brilho da alma sem Joana por perto.

Cheguei lá depois de tudo, vi o sangue no lugar da luta, o homem morto, e me desesperei. A ventania ficou mais forte, a areia castigando a pele, um barulho ensurdecedor de tempestade. A igreja foi totalmente coberta em poucas horas. Disseram que as casas ao redor seriam engolidas também e a correria da fuga começou. Só pudemos voltar alguns meses depois, quando o vento Terral começou a descobrir a igreja e deu para retomar as casas.

— E o senhor ficou em Almofala por quê?

— Porque eu precisava encontrar alguma pista dela, alguma forma de entender. Muitas vezes eu estava convencido dessas alcunhas, a prostituta, assassina, feiticeira que desgraçava a vida de todos que se aproximavam. E eu também era um condenado, porque o boato do nosso amor espalhou-se e achavam que eu estava envolvido na mentira, protegendo sua fuga para ela não ser presa. Só depois, ao ver o quanto eu definhava, dia e noite tentando tirar a areia toda e encontrar os restos de Joana, entenderam que não havia envolvimento meu. Se houvesse mentira, eu seria vítima.

Nunca me contaram que algumas coisas acontecem uma vez e, se forem perdidas, nunca voltam. Nunca mais aquelas horas em que senti amor infinito, em que perdia a noção de onde estava, só via a boca de Joana, ouvia seu êxtase, suas pernas me apertando o corpo, sua voz me dizendo que sou seu amor, que é minha, só minha Joana, os cavalos-marinhos, as estrelas-do-mar. Estou bêbado, me perdoe.

Aquela noite com ela é a última lembrança que tenho de um dia feliz. Da manhã seguinte até um tempo atrás eu sobrevivi porque esperava uma resposta. Depois minha filha nasceu e eu sobrevivi para cuidar dela e da minha mulher. Hoje eu não sobrevivo, só espero a morte.

Voltando ao assunto, esperamos pela boa vontade dos ventos, ou dos Encantados, para conseguir limpar a igreja. Eu queria procurar Joana, achar o que fosse. E lembro que era madrugada de um dia de lua cheia, quando muita gente ia ajudar a tirar a areia. As mulheres tiravam com a saia, os homens com baldes grandes e as crianças com latas pequenas.

Dona Malba chegou com outros de sua família. Rezou alguma coisa, dançaram o Torém e ela disse que faziam isso porque era aniversário de Joana, o dia em que ela foi encontrada na igreja. Prometi que faria de tudo para descobrir o que restou dela neste mundo, reuniria seus ossos, ela teria o enterro respeitoso que merece.

Eu devia à Joana um enterro digno, um jazigo no cemitério, seu corpo encomendado de acordo com a sua fé, na presença de amigos. Algo me dizia que sua alma não estava em paz. Agora era chamada de prostituta e assassina por uma parte da cidade. Para outra, era a heroína que tentou salvar a Labareda.

8.

— Os ossos de Joana não estão lá.

Essa foi a frase da minha agonia, atravessando aquela horda de loucos e gritando mais alto que eles, para anunciar que não encontrei os ossos de Joana na igreja, depois de tanto tempo limpando, escavando, a frase final do fenômeno que cobriu a todos nós e devorou minha vida.

Sonho muito com isso. Acordo assombrado com a lembrança dos olhos esbugalhados e as palavras que atiravam em direção à minha desgraça. Nos pesadelos eu vejo tudo, vejo a mim e aos outros naquela noite que o destino nunca teve a decência de me explicar.

A segunda coisa que faço todas as manhãs é ir até o espelho e dizer o dia, o mês e o ano em que começarei a viver a partir dali. Aprendi com Joana quando acordei perto dela pela primeira vez, e ela falou com um espelhinho pequeno de moldura laranja.

Até ali a vida me parecia apenas um amontoado de horas e de obrigações a cumprir. O sentido de existir estava nas coisas que a razão compreende. O que estivesse além dessa fronteira seria secundário, delirante e idiota. Principalmente o amor, cuja versão lancinante eu desconhecia. Falava de amor como um ignorante. Sabia dos pequenos amores, das coisas que a razão decide e projeta, plantinha miúda, sem caule forte, que persiste pelas convenções e não pela imposição compulsória do sentimento. O que eu sabia sobre a paixão era nada. Decidir por estar ou não estar, permanecer ou sair sempre era ponderação racional, algo controlável em um gráfico ou uma tabela.

Na companhia de Joana a vida passou a ser a transformadora oportunidade de tocar os segredos do mundo, sem ordem ou acordo. Apenas a vida em mim, felicidade sem esforços, apenas por estar com Joana em qualquer circunstância. Tudo estava nela e a sua alma de redemoinho me desorientou.

A primeira coisa que faço todas as manhãs, antes de dizer o dia, é pensar em Joana. Penso nela quando acordo, quando durmo e no intervalo entre uma coisa e outra. A segunda é olhar meu rosto no espelho, localizar minha dor no tempo e lamentar. Lembrei do pesadelo e nele eu me vejo. Aprendi a acreditar nesta cena que se repetiu tantas vezes na minha cabeça. Eu, muito mais alto do que a maioria, de cabelos e barbas desgrenhados, coberto de areia dentro dos ouvidos, nos buracos dos dentes, nas narinas, nos cílios e nos olhos, lacrimejando, desesperado. Calculo que cerca de cem pessoas, um pouco mais, amontoavam-se ao meu redor e impediam a minha passagem.

Todos esperavam pela cena nefasta da minha saída de dentro da igreja enterrada, segurando a caixa plástica com o que tivesse sobrado da mulher que eu amei. Que ainda amo.

— O senhor ama uma lembrança.

— Eu amo uma mulher que nunca saiu da minha carne. Por isso entrei lá, para buscar o que sobrou dela. As pessoas estavam lá fora porque já tinham sido avisadas de que faltava pouco para chegar ao lugar onde supostamente ela caiu.

Aguardavam os ossos, os dentes, as unhas, restos de carnes ressequidos, fiapos de cabelos presos ao crânio, uma múmia desmontada, o triste fim. Sabiam da nossa história, mas ninguém fazia ideia do que eu senti quando vi que nada sobrou. Nenhum fio, coisa alguma que provasse que um dia ela viveu sobre a Terra.

De Joana só encontrei os trapos do vestido florido de botões na frente, sua melhor roupa, que ela usou para estar comigo na noite anterior. Estavam lá também restos da calcinha e do sutiã, o par de chinelas e a bolsa pequena contendo farelos da carteira de identidade, tudo carcomido. Mais nada. Uma vez eu disse o quanto gostava dos seus cabelos presos com grampos, deixando o rosto mais à mostra, desenhando uma moldura de cachos. Cada uma das coisas que ficou de Joana me emocionava muito. Todas as peças eu vi no seu corpo. Na primeira vez em que tirei o seu vestido, ela riu quando o dobrei lentamente, passando a mão em cada vinco. Por que esse cuidado todo? Porque o vestido é você.

Ela foi para a igreja usando o colar de búzios de proteção dado por sua Malba. Lembro perfeitamente dele, pois era pelo pacumã que eu começava os meus carinhos. Búzios minúsculos, perfurados com paciência, unidos por um fio de náilon e com um brilhoso maior na ponta, que ficava alojado no começo da junção dos seios fartos de Joana. Era esse o búzio do pacumã, tirado da barriga do peixe, polido de maneira natural. Afastava o mal. Toquei com a ponta dos dedos, beijei tantas vezes os pequenos, o maior e depois seu colo, sua pele e o cheiro que me faz tanta falta. A coisa que eu mais quis, por todos esses anos, foi encontrar esse colar. Perdeu-se no amontoado de areia da igreja.

Saí gritando, berrando, os ossos de Joana não estão lá, e nesse dia perdi os sentidos, a razão, qualquer noção de realidade. Passei anos tendo pesadelo com essa cena.

Antes de o senhor chegar, Jorge Momade, o pesadelo voltou. Mesma cena, mas dessa vez trouxe algo diferente no fim, um pedaço de sonho que vi pela primeira vez. Eu saía da igreja, abria as duas portas enormes e uma enxurrada transformava tudo em mar. Mergulhei no silêncio da água, mas não parecia Almofala, era fundo de mar desconhecido. Nadei um pouco e abri os olhos. Foi quando eles vieram na minha direção. Dois cavalos-marinhos, flutuando em pé, cada vez mais perto, como se tivessem algo a me dizer.

9.

Com a notícia da morte de Joana compreendi que deixei minha vida nas mãos dela e agora eu também jazia sufocado na areia da igreja. Meu destino estava ligado àquele vento, aos Encantados. Para ela, aquela construção era um prolongamento da sua alma e dos seus ancestrais. Que aquela igreja era um dos pontos de força espiritual mais importantes do Brasil. Na igrejinha de Almofala cabem a dor e a fé do Brasil inteiro.

Cheguei trazido por uma força imensa, maior que todos nós, para enfim fazer sua vida feliz. Seu plano era ficarmos ainda por um tempo em Almofala para, depois, ganhar o mundo. Queria viajar comigo, ela disse tantas vezes, tantos planos de viagem. Tínhamos uma promessa de vida.

Seria impossível resgatar o passado, ter salvado Joana, ter voltado o tempo, ter feito tudo diferente, ter tomado outras decisões. Eu não parava de pensar no que teria acontecido se eu tivesse ido mais jovem para Almofala. Poderia ter começado a vida com ela. Se eu tivesse pesquisado antes os cavalinhos de lá, como ela os chamava, construiria minha felicidade sobre outras bases. Era meu pensamento obsessivo o desejo de atrasar o calendário, ir parar em outro ponto, ter uma segunda chance.

Joana não olhava para trás, não cogitava isso, só pensava adiante, construía sonhos com a frequência das respirações, misturava a realidade com suas quimeras e tinha planos para o resto das nossas vidas.

Agora o que me restava era dar um enterro decente para a mulher da minha vida. Faria tudo para arrumar um jazigo bonito, pintado de azul, um lugar onde as pessoas pudessem rezar por sua alma.

Juntei seus pertences, comprei o jazigo. Achei que poderia ser agredido, linchado, mas talvez o povo tenha visto que eu já estava quase morto por dentro.

Fui até a nossa casinha buscar tudo de lá. Não acendi a luz e deixei a vela iluminar o quarto. A coisa mais linda, mais linda do mundo, eram aquelas paredes cheias de búzios, cavalinhos e estrelas pregados pelas suas mãos. Joana juntava os búzios bonitos que ganhava da beira do mar.

Ela queria encher os espaços, completar a parede, a ponto de passar a mão e sentir a textura de cada um, perfeitamente macios. Desde pequenina ela perguntava a todo mundo: o que eram aquelas coisas, afinal? O que são os búzios? Quem faz essas joias do mar? Contei a ela o que é a pérola, a defesa da ostra, e lembro que ela me pediu para repetir, repetir, repetir.

Joana gostava de anoitecer na praia. Chegava cinco em ponto trazendo algo para guardar as conchas e ficava até surgir a primeira estrela. É a hora mais bonita, ela falava. Seis horas da tarde era a Hora Aberta dos tremembés, quando todos os pedidos são atendidos. Ela ficava triste nesse horário, e quando eu estava com ela cantava uma música, "João e Maria". Passei a cantar em todos os nossos encontros.

A mania de catar búzios começou quando ela era muito pequena. Achava que eram presentes do mar, presentes do seu pai, de quem ela nunca soube o nome, mas sempre imaginou que fora embora pela água. O mar devolve as coisas, um dia ele voltaria — ela acreditou nisso até seus doze anos, mais ou menos, quando descobriu que a vida pode não ser exatamente justa. Depois começou a entender que Iemanjá era um dos Encantados do Mar e que mandava os búzios como um presente de mãe.

As pessoas lembravam das suas frases, das manias, das histórias, por isso a frente da igreja ficou lotada quando souberam do desenterro. Chegavam chorando, como se fosse o primeiro minuto da notícia. Ela estava quase ali, entre eles.

Antes de entrar, deixei acertado com a funerária a compra do melhor caixão e o local no cemitério. Expliquei que pretendia reunir os seus restos mortais encontrados na igreja com algumas coisas que fossem importantes, que representassem a forma como Joana percorreu a vida nesses poucos anos. Gostaria de dispor tudo em um caixão e fazer um sepultamento, com lápide, com missa. Ela merecia essa despedida para que sua alma ficasse em paz. Eu sentia, sempre senti que ela estava inquieta. Sonhava com ela chorando, sonhava que estava comigo e chorava. Era sua alma, sim, pedindo que eu fizesse alguma coisa.

Eu conhecia muito bem aquela casinha, sabia exatamente o jeito como o corpo de Joana andava por ela, demorava no chão cuidando dos búzios das paredes, varria, tirava o pó. Sentia sua presença ali, junto comigo. Recolhi tudo, todos os seus objetos. Deixei a casa de taipa sem absolutamente nada. Levei os pedaços de Joana na sua mala cor de caramelo, as últimas coisas que suas mãos tocaram antes de ela desaparecer.

10.

Se fôssemos dois cavalos-marinhos eu estaria agora com ela. O mar teria salvado nosso amor, talvez, da armadilha da areia. O silêncio, a vida dos bichos irracionalmente jogados nos braços do destino, seríamos seres do mar, bentônicos, nada disso teria acontecido.

Depois de tudo, quis fazer o enterro de Joana de qualquer maneira. Eu sonhava com ela o tempo todo, que estávamos juntos, que eu tocava seu colar, que nos amávamos, que a igreja era inundada pelo mar e nos transformávamos em cavalos-marinhos. Ela parecia sempre muito atormentada e triste, achei que era pedindo reza e enterro em campo-santo. Um enterro sem restos mortais, mas com tudo o que estava na igreja, o que sobrou de sua vida, os objetos, os cavalinhos da nossa casa, para a alma dela ter paz. O caixão vazio sob a terra era o ponto-final do meu grande amor.

Sem saber como, eu precisava seguir a vida e encerrar aquilo tudo e ir embora de Almofala. Não sou como ela, não tenho pressentimentos, nenhum contato com as coisas invisíveis, nasci sem a sorte de acreditar que algo muito maior que nossos pensamentos comanda o mundo e desfaz crenças impossíveis. Vivo do que vejo diante de mim e nada me trazia consolo. Perdi Joana. Eu precisava ver o fim.

Rapidamente a cidade soube da minha intenção e começou a chegar gente na casa de Doralice. Alguns permaneceram na igreja, logo ao lado, rezando e cantando. Outros mais curiosos iam para a calçada. Tereza, hoje minha mulher, era colega de Joana e estava sempre por perto, vendo tudo. Todos sabiam, todos tinham uma explicação. Falavam muito do pecado. Ouvia comentários sobre nossos passeios ao coqueiral, sobre a minha vida, sobre como nos afastamos do que prega a palavra de Deus. Não tínhamos Jesus no coração, ouvi uma mulher dizendo a outras enquanto me olhava.

Joana, que não teve pai ou mãe, que falava com os espíritos, que despertava paixão, que não tinha medo de amar, que gostava da vida, que matou um homem para defender a Labareda. Que devotava um amor incondicional à dona Malba. Falavam que ela fugiu, mas não era possível. Não havia nenhuma condição.

Doralice nunca me condenou, nunca disse uma palavra de julgamento.

No dia seguinte a funerária chegou com o caixão e os funcionários, desinformados, perguntaram pelo corpo. Pedi que apenas deixassem em cima da mesa e eu cuidaria do resto. Não entenderam, portanto não aceitaram o comando até que eu dissesse, claramente, que não havia corpo nenhum. Doralice ofereceu café e eles ficaram um pouco por lá, ouvindo a história, o evento da semana em Almofala: o enterro sem corpo.

Doralice cuidou de lavar as roupas que ela deixou e perfumar com colônia. Joana gostava de perfumes suaves, usava pouco. Quando peguei novamente um vestido em mãos, lavado e com o tecido rígido de goma, foi como estar de novo com ela. Guardaria para sempre a lembrança dos abraços em silêncio e do seu sorriso.

Estiquei o vestido no caixão, arrumei suas sandálias, enchi de flores miúdas. No lugar do seu coração, pousei dois cavalos-marinhos, eu e ela. Lembrei do dia em que expliquei que o *Hippocampus reidi* precisa viver em par e ela me disse que é porque eles sabem que sem olhar alguém que se ama é impossível ser feliz.

Obviamente duvidei. Hoje, não mais. Bastou sua existência para que eu tenha vivido esse sentimento. O amor é do domínio de um campo inalcançável. Só quem sentiu a alegria infinita de ganhar um grande amor e o desespero incontrolável de perdê-lo é capaz de saber do que estou falando.

O *Hippocampus reidi* não vive com seu par por nenhum motivo além da alegria de estar perto. Pousar o casal de cavalos-marinhos foi meu último gesto antes de fechar o caixão. Seus outros objetos já estavam na mala, Doralice pediu para ficar apenas com a receita da torta de banana, anotada com sua letra no papel. Eu levaria tudo comigo.

Quando saí do quarto sustentando o caixão leve, pensei se a alma de Joana poderia estar ali comigo, conosco, vendo o próprio enterro. Doralice segurou uma das alças e suas amigas tomaram as outras duas. Fomos andando primeiro em direção à igreja que a tragou, que ela tanto amava. Sem combinar verbalmente, demos uma volta ao redor da construção. As mulheres cantavam, algumas choravam e mais e mais gente acompanhava. Parei diante da porta, tudo ainda muito deteriorado. Não era possível entrar pelo risco de desabamento ainda maior, a umidade destruiu quase tudo.

Demos a volta e eu balbuciava o meu adeus a ela. Logo depois eu planejava ir embora para sempre. Era, sim, uma fuga. Estar perto de Almofala seria uma dor insuportável.

— E mesmo assim, ficou.

— Fiquei. Tereza cuidou de mim, na condição de amiga. Não tinha forças para ir. Depois nos envolvemos, casamos, mas ela sempre soube de tudo.

Doralice falou dela no cortejo, que deixaria viva a sua memória. Faria a torta de banana. Cantaria suas músicas preferidas. Tomaria banho de mar mergulhando as sete ondas, lembraria de suas graças, rezaria na missa e dançaria o Torém dos tremembés.

Depois da volta ao redor da igreja, seguimos para o cemitério, que ficava bem perto. Quanto mais passos, mais gente. O coveiro já estava à espera, alguém avisou. Chegou a hora do fim, mas não pude cumprir meu último ritual. Fui impedido na porta do cemitério. Dona Malba estava lá, ela e outros tremembés, esperando por mim. Bastou uma frase sua, olhando nos meus olhos, para que eu parasse a marcha: Você não pode enterrar uma mulher sem corpo.

O cacique estava com ela. Explicou que Joana gostaria de ser enterrada segundo os ritos tremembés, mas eles não tinham autorização dos Encantados para fazer isso. Nenhuma explicação a mais. Não durou cinco minutos a nossa conversa e, como tudo já parecia mesmo uma grande loucura, não hesitei em obedecer, porque isso seria o que Joana me pediria para fazer. Sua mãe e a sabedoria tremembé eram tesouros da sua alma. Doralice concordou.

Voltamos pelo mesmo caminho e mais gente acompanhava o cortejo, pois espalhou-se a notícia de que os tremembés impediram o enterro. Chegando na casa de Doralice tiramos as coisas do caixão e guardei em uma mala. A funerária não quis receber o féretro de volta e ficou por lá até que algum conhecido precisasse dele. A morte chega sempre.

A vida é só essa coisa atropelada, que passa muito rápido e as únicas pessoas felizes são as que atravessam o tempo entregues ao amor. De certa forma, até aqui fui feliz. O amor de Joana esteve comigo e quando lembro dele ainda sinto que meus sentimentos por ela me salvam um pouco por dia.

Se a morte for mesmo uma mínima esperança de reencontro, se eu tiver uma segunda oportunidade de estar perto dela, de mergulhar nos seus olhos, eu me jogarei no abismo. Aprendi com os olhos de Joana.

É isso, Jorge. É o que eu tenho a dizer. O ressentimento às vezes toma conta de mim. Tenho raiva de tudo, dos padres, do povo, de quem a apunhalou e saiu livre por alegar legítima defesa, do povo chamando-a de amaldiçoada, do jornal falando dela como a suposta prostituta Joana Camelo. Tive raiva da dona Malba, que parecia saber mais do que revelava. Tive ódio dela quando imaginei que estava viva e fugindo. Mas depois pensava: ela morreu, foi apunhalada, todos viram. Tentei seguir e refazer a vida, mas nunca consegui. Ela me marcou como fogo.

— É uma história impressionante, senhor Miguel.

— Não imaginei que você choraria, Jorge. Mas preciso dizer uma coisa. Na véspera da sua chegada, por causa do sonho que tive, a alegria de Joana apareceu aqui para mim, como se fosse vento, como se fosse sua alma. Ainda não consigo acreditar em espíritos, mas se for isso, se for a alma de Joana chegando perto, se eu tiver uma segunda chance de vê-la, sou capaz de tudo.

— O que o senhor sentiu exatamente antes da minha chegada?

— Jorge, vou dizer a você uma coisa que nunca contei a ninguém. Depois da cena do enterro, na mesma noite, eu procurei dona Malba. Pedi para falar com ela a sós. Chorei por muito tempo antes de dizer alguma coisa, antes de perguntar o que ela sabia de Joana, o que ela poderia me dizer para acalmar meu coração. Permanecia em silêncio. Mudei a pergunta. Quis saber por que eu não poderia fazer o meu ritual de enterro, cumprir a promessa de deixar sua memória em campo-santo. E o que ela me disse deixou em mim uma esperança que alimentei por muitos anos, depois esqueci. Achei que a verdade sobre seu desaparecimento fosse outra, que ela tivesse tomado um rumo por proteção, naqueles anos de desespero nada importava, só estar com ela de novo. Entendi que a vida precisava seguir. Tereza estava ali, eu tinha uma vida a seguir. Joana morreu. Não tinha por que acreditar em outra versão só por causa de uma frase de dona Malba.

— E qual foi a frase de dona Malba?

— "Você não pode enterrar uma mulher que está viva."

PARTE III
A língua de fogo avisou

1.

No sonho, a Menininha me dava um bilhete com duas palavras escritas. Uma era Joana. A outra, Almofala. A princípio não me dizia nada novo, é o nome da aldeia onde fui resgatada por Florice e Fernando. Lembrei que eles diziam que existiam várias Almofalas em Portugal e pedi a Jorge para pesquisar. Foi assim que ele descobriu que há uma Almofala no Brasil e encontrou as notícias sobre uma mulher chamada Joana cujo desaparecimento nunca foi explicado. Sou eu essa mulher, eu estava desaparecida de mim e lembrei porque precisava voltar ao Brasil.

Primeiro enfrentamos um voo de Lisboa à Fortaleza. Quando víamos o mar da janela, Jorge me perguntou o que eu achava que poderia ter acontecido na travessia entre um ponto e outro, se eu teria ido por terra, pelo ar, ou flutuando na água, e eu não tinha nenhuma lembrança, uma fumaça ocupava meus pensamentos.

De Fortaleza para Almofala ainda teríamos quase três horas de estrada para enfrentar. Jorge alugou um carro e fomos, seguindo as informações que ele pediu antes de viajarmos. Deitei no banco de trás, por não conseguir mais estar sentada, e adormeci, de fraqueza. Acordei com as vozes de muitas pessoas ao redor do carro e reconheci os rostos sem saber quais eram seus nomes. Eles sabiam de mim, me chamavam de Joana e me retiravam do carro. Um dos homens explicava a Jorge que ele deveria seguir para o centro de Almofala e eles me levariam para outro lugar, na Batedeira, onde Malba me esperava. Malba! Minha mãe Malba! Seu nome entrou como força naquela hora e me deixei levar sem relutar.

Fui colocada em outro carro, uma caminhonete com caçamba, bem acomodada entre homens e mulheres que cuidavam de mim, molhavam a minha testa e cantavam baixo nos meus ouvidos. Jorge disse que em breve me buscaria, perguntou se eu estava bem, e eu só respondi uma palavra: confie. Confie. Pedi que confiasse, seguisse para Almofala, e um homem gritou: Não diga a ninguém que Joana voltou, se souberem eles vão atrás dela para matar.

Não demorou muito até que eu chegasse à casa de cura de Malba, a minha mãe, pajé dos tremembés. Nos braços de três homens que sabiam meu nome, anunciavam seu parentesco comigo, primos, irmãos, tias, comentavam coisas das quais eu não lembrava e apressavam-se até que eu pudesse estar com ela. Com Malba.

Era a mulher do sonho. Era ela, a que me deu o colar, pois usava um exatamente igual. Já estávamos dentro da casa de cura, um lugar pequeno coberto com telhas e paredes azuis. Do lado de fora estavam pintadas as palavras príncipe Rafael e dentro uma mesa cheia de santos que eu reconhecia, de velas acesas, conchas do mar no chão.

Com a ajuda de outras mulheres, me deu banho com água de ervas, lavou minha cabeça com água de coco, elas sempre cantando: *Quebrada seja as barreiras dos inimigos, levadas sejam as demandas, para cima de quem manda e adeus. Quebrada seja essa barreira em nome de Deus. Assim seja. Que Deus te dê paz, que Deus te dê luz. Assim seja. Liberados sejam os seus caminhos. Assim seja. Liberada seja a sua matéria. Assim seja. Em nome de Deus. Que não tem quem possa mais que Deus. Assim seja. Que Deus te dê paz e que o anjo da guarda seja tua companhia a toda hora. Adeus. Assim seja. Ninguém não bula com a espada de Ogum, ninguém não bula com a espada de Xangô. Ninguém não mexa com capacete de alguém, que das matas eu venho, sou um dragão vencedor. Somos três princesas juntas para abrir essa matéria. Para despertar essas árvores com a força de Nazaré. Princesa do pensamento. Tem três peninhas azuis. Adeus, cidade amorosa da paz. Adeus, cruzeiro do Sul. Tem, tem, tem. Lá no meu palácio tem. Tem três caboclos na vigia, não dão passagem a ninguém.*

— Com as bênçãos de Pai Tupã e Mãe Tamain — eu disse. Eu lembrei.

Acordei ouvindo um canto bonito, uma voz rezando, com as bênçãos de Pai Tupã e Mãe Tamain, foi o que disseram quando me colocaram no centro de um salão de reza na casa de minha mãe. Voltei ao meu lugar de origem, a Almofala do Ceará, perto da lagoa da Batedeira. Meu corpo e minha alma estão juntos, de novo, no poder do meu coração, os sentimentos acesos no rosto de minha mãe, de minha família, desse chão que me fez tanta falta.

Eram várias pessoas ali, os vivos e os Encantados, os deste mundo e dos outros, crianças e adultos, dragões do mar, ao meu redor, trocaram minha roupa, vesti uma saia e blusa branca, outros colares maiores, e Malba, minha mãe Malba, agora pôde me abraçar várias vezes e aos poucos fomos encerrando ali a mesa de cura para mim, abriram a mesa para me curar, para me trazer de volta, juntos o corpo e o espírito agora, limpos, protegidos, trancados, com as demandas todas afastadas, eu lembrava, eu melhorava aos poucos.

Saímos da casa de cura e andamos devagar rumo ao cajueiro, uma árvore muito importante para nós. Desde criança eu adorava o tempo de caju, os dias de fazer o mocororó e dançar o Torém. Era isso que iríamos fazer.

Os homens levavam os urus e as cabaças, as garrafas, estavam felizes, era uma festa. O Torém é nossa festa de cura, de dança, e quando cheguei já estavam os troncos velhos no meio, os tremembés sagrados ali em círculo tomando o mocororó e cantando. Fizemos a segunda roda e eu sabia cantar. Eu sabia cantar. *Não tem rio que eu não atravesse. Não tem caminho que nós não ande. Não tem pau que eu não arranque. Não tem pedra que eu não quebre. E nem tem mal que nós não cure. Viemos lá das cachoeiras. Com a força da Natureza. Os Encantados nos mandou. Viemos aqui fazer limpeza. Os Encantado nos mandou. Viemos aqui fazer limpeza.*

E o canto seguinte me trouxe de volta, de uma vez. A névoa da minha vista se apagou e reconheci as pessoas, o cacique, o pajé, as minhas tias e primas, todos ali devidamente nomeados para mim, reconhecidos como parte da minha vida. Eu sabia cantar. *Tremembé quando nasceu, meu pai. O tempo estremeceu. O mundo se alagou, meu pai. Tremembé viveu. Tremembé é curador, meu pai. Foi dom que Deus lhe deu. Diante dos males, meu pai. Tremembé viveu, a música que nosso pajé Luís Caboclo recebeu por inspiração dos Encantados na praia.*

Minha mãe Malba me deu um copinho de barro com o mocororó e eu bebi num gole só, veio a força da canção e do vinho, a força dos Encantados de volta para mim, por isso eu lembrei do que tinha ido fazer, de volta. Perguntei pelo pacote preto e já estava ali ao lado. A santa despedaçada, Nossa Senhora da Conceição deitada no chão de terra de Almofala, ao som dos cantos do Torém, e eu desembrulhando diante dos olhos de todos.

Os antepassados saíam da mata em minha direção, eram tantos e tantos que não havia espaço que não estivesse preenchido com um homem, mulher, criança Encantado. A Menininha olhava também, sorrindo para mim.

Felizes porque era a festa da nossa vitória. Um deles, o mais alto e mais forte, tomou a frente e chegou perto de mim. Eu sabia que era Juripariguaçu, o Grande Diabo, um guerreiro alto, com arco e flecha, olhos muito claros, cabelo baixo, de braços e pernas fortes. Diante dele eu deveria cumprir a missão. — Você lembra da Labareda? — minha mãe perguntou.

— Ainda não sei se recordei tudo.

— Quando os tremembés acharam a Labareda na praia fizeram um tijupá de palha para ela. Depois ela foi tomada de nossa mão, prometendo paz e entregando morte e massacre, mas agora ela é nossa de novo. Você a salvou e voltou para trazer. Entregue a ele.

O Juripariguaçu recebeu a santa das minhas mãos e levou a Labareda para o centro do Torém, perto dos troncos velhos. Ainda estava quebrada e ele arrumou seus pedaços em um pano, com cuidado. Continuamos dançando e bebendo, olhando a Labareda reluzir perto da fogueira. Alguma coisa se completou ali, mas não era inteiro o meu entendimento.

— Nunca se entende tudo de uma vida, muito menos de uma travessia — minha mãe disse ao meu lado, adivinhando os pensamentos.

— Alguém vai consertar a Labareda para devolver para a igreja?

— Foi nos pés dela que sua mãe te deixou. Juripariguaçu me avisou em sonho e fui te buscar. Anos depois você quase morreu por ela, lutou a guerra dos valentes para salvar nossa Encantada e agora ela te salvou. Vamos fazer um novo tijupá, no mesmo lugar da primeira vez, honrando os tremembés que a encontraram na praia e honrando a sua vida. Nossa Labareda nunca mais voltará para a igreja.

2.

Acordamos antes do nascer do sol porque minha mãe disse que a Princesa do Ouro estava me esperando na água doce. Fomos só nos duas e não foi preciso perguntar os motivos. Ela me explicou que eu passei por uma experiência violenta de viagem do corpo, de enfraquecimento do espírito, de perder a memória e os tesouros da cabeça, as lembranças do meu poder e da minha família. Agora com ela eu seria limpa e curada, a limpeza era constante, nove orações todos os dias, os banhos de ervas e, agora, o de água doce.

— Sonhei muito com a senhora me entregando esse colar, mas não lembro dele no meu passado.

— É o búzio pacumã, de proteção. Você recebeu quando fui avisada de que algo te aconteceria.

— A senhora sabia da viagem?

— Soube que você iria para longe, mas que voltaria. Foi o recado que recebi dos encantes e foi nisso que acreditei, até você voltar. Todos os tremembés sabiam, apesar da cidade inteira dizer outra coisa.

— O que aconteceu comigo a senhora não sabe?

— Sei de tudo, eu estava lá e não tinha ordem para impedir. Você tentou salvar nossa Labareda, matou o padre Alfredo na luta por ela e ela também te salvou.

— Há muitas coisas de que não lembro.

— Este banho de lago é para isso, no silêncio, para que tudo volte à sua cabeça. A Princesa do Ouro vai lavar seu Orí, mas você pode me perguntar qualquer coisa que vou dizer.

— Onde estão meus pais?

— Ninguém sabe, Joana. A sua mãe apareceu em Almofala um dia com você pequena. Ela veio de outra cidade, nunca disse qual. Chegou com você no braço, deixou nos pés da santa e saiu andando rápido, atravessou o cemitério e sumiu. Acharam você muito magrinha e com fome, e levaram para a casa de Doralice. Tentaram descobrir se tinha família, documentos, alguma pista, bilhete, mas nunca soubemos nada. De noite eu tinha sonhado com Juripariguaçu. Mandou eu acordar cedo e vir para a igreja, que a menina era minha, que eu tinha que te criar e te ensinar tudo o que sabia. Seus dons, sua força, o que deveria ser dito e escondido, tudo era orientado pelos Encantados e por isso eu peguei você para mim.

— Mas eu não sou tremembé.

— Não é nascida conosco, nasceu longe, mas você foi criada na nossa vida, um presente dos Encantados para nós.

— Quando tentei descobrir sobre minha vida, soube que a cidade me odeia por motivos que não lembro.

— Porque você matou o padre, porque te chamam de prostituta, de feiticeira. Você não pode aparecer na vila, os mais velhos vão te reconhecer. Passaram quarenta e nove anos, mas muitas pessoas que presenciaram tudo ainda estão vivas.

— Quarenta e nove anos? Mas eu sumi com que idade?

— Vinte e dois. Você teria setenta e um anos, mas não foi assim que o tempo passou no seu corpo.

— Eu passei sete anos em Portugal. Então tenho vinte e nove nessa conta?

— Vinte e nove.

— E eu era prostituta?

— Não, era livre; amava quem queria. Seu grande amor foi Miguel, o professor que veio visitar Almofala e aqui ficou, te procurando, escavacando a igreja para procurar seus ossos. Acabou casando com a Tereza, sua amiga.

— Eu sonhava com ele.

— E ele sonhava contigo. Quis fazer seu enterro, quis preservar sua memória, lutou muito e um dia precisei dizer que você não estava morta.

— A morte deste homem, é verdade? Eu matei mesmo uma pessoa?

— Ele ia te matar, Joana, a confusão era grande. Ele queria a Labareda para bajular o bispo, nunca gostou dos índios e foi muito violento. Cheio de alma de padre antigo perto dele, um ódio de muitos anos. Teve luta depois, morreram mais tremembés nesse ataque. Traíram a promessa de que essa igreja seria nosso acordo de paz.

— Mas só morreram por minha causa.

— Não, eles matariam de qualquer maneira porque querem a nossa terra.

— E por que aconteceu isso com a igreja?

— Vingança dos Encantados. Fizeram uma promessa que não se cumpriu e a igreja era o símbolo dela. A soma das três forças. Por isso a areia encobriu e assim ficou por tantos anos. Miguel lutava diariamente para encontrar seus restos porque ele queria te ver de novo.

— Isso tem muito tempo, a minha vida mudou, eu tenho outra pessoa. Mas sonhei com Miguel.

— O seu marido é um homem de bem e você tem outro futuro e destino diferentes do que tinha antes. É preciso prosseguir.

— Minha mãe, eu estou tão fraca, tão confusa. A senhora também parece fraca, não é?

— Eu já vou rumando para o fim, os Encantados avisaram que vou embora em breve e foi por isso que você voltou. Estou doente, chegou minha hora, mas pedi para trazerem minha filha de volta. Nem remédio de botica, nem remédio de encante salva ninguém quando Deus chama. Agora é hora de preparar a partida. Primeiro vou receber o aviso da chegada deles, depois vou ter de dizer a Oração e só você pode ouvir. Depois que você souber rezar nove vezes, eu vou partir. E você, se quiser, pode ficar no meu lugar. Os Encantados me avisaram. Desde que você era muito pequena.

— A senhora sabe que vejo os mortos?

— Sim. E enxerga os vivos por dentro.

— E como foi minha vida?

— Uma menina boa. Eu sempre fui professora da escolinha, você ia comigo, aprendia tudo, gostava de cantar, gostava de fazer tudo que tremembé faz. Gostava da casa de cura, do salão, sabia cantar e todo mundo pedia sua reza. Tenho um álbum com fotos suas, ainda pequena, vou te mostrar amanhã.

— O que tenho que fazer agora?

— Tomar banho na lagoa. Encarar a verdade do seu passado. Você não é tremembé de sangue de pai nem de mãe, mas é a escolhida pra ser minha filha. E agora vai escolher seu caminho.

— Eu não sei nem o que é o caminho.

— Joana, tenha calma, agora é só ficar comigo o tempo todo, aqui na Batedeira. Até calar as palavras da Terra. Até chegar a tristeza calada do universo na minha boca. Vou te dizer a Oração, fechar a boca e morrer.

— Precisa ser assim?

— É seu Destino.

— Eu não confio em nada que diz o Destino. Fiz tudo certo e perdi minha família, já nasci perdendo. Perdi um grande pedaço da minha vida. Matei uma pessoa, roubei uma santa e não vi nada, não entendi nada.

— Quem te prometeu entendimento? E quem te prometeu que ia ser fácil? Eu, nunca.

— Ninguém. Mas meu coração pede paz.

— A paz vem depois. Sua missão também é ser livre, as coisas ainda vão começar a acontecer na sua nova vida. A Princesa do Ouro, esse banho aqui, é para que o futuro venha abrindo todas as portas e dando passagem ao que você quiser fazer. Você é livre para ir, mas depois que eu for.

— Ficarei com a senhora. Até o fim. Mas quero contar o que aconteceu em Portugal. E quero saber como eu sumi. A senhora sabe? Como fui pra tão longe?

— Você rezou a Oração. Nossa proteção nos momentos de perigo. A gente reza e vira folha, bicho, árvore, o nome disso é envultamento. Ou muda de lugar, como foi o seu caso. Mudou para outra Almofala, foi a palavra que te levou. Os tremembés sabiam que foi a oração. Se você se lembrar dela, algum dia, nunca diga em voz alta.

— Eu não lembro. Eu não sei essa reza. Como posso ter rezado?

— Depois do banho você vai lembrar.

— Como é o nome dessa reza?

— Oração para Desaparecer.

3.

Jorge chegou à casa da minha mãe trazido por um primo, e a essa altura eu não sabia o que ele tinha feito, onde estava, o que aconteceu nos dias em que eu estava imersa na jornada de limpeza e cura. Quando nos encontramos eu já era outra pessoa, muito diferente da mulher que ele conheceu careca, desmemoriada, sem lugar no mundo. Usava as roupas de antes, com cabelos grandes, os colares e brincos feito pela minha mãe e pelas minhas primas, já estava de novo de posse da minha vida, do meu corpo, entendia quem fui antes, ainda com faltas e esquecimentos, levando a culpa de uma morte, a raiva e o medo da comunidade, o amor da minha família, a vida em Portugal.

Tudo o que me faltava eu tinha de volta. Tudo o que perdi, recuperei. Meu nome, meu passado, uma vida novamente minha. E eu me sentia forte, pois já lembrava que tinha o dom de ver os Encantados, entender o futuro. É o invisível que comanda o mundo.

Jorge me abraçou com as saudades de sempre, mas havia uma nova distância.

— Conversei com Miguel — ele disse.

Dele eu ainda não tinha conseguido lembrar tanto, foi mais forte saber que matei uma pessoa, que salvei a santa e a trouxe de volta, que minha mãe está morrendo e eu estarei com ela na estrada para o fim. Miguel chegou de volta pela voz de Jorge, que me contou suas horas de conversa. Falou do seu amor e só nesse momento me dei conta de entender que o tempo passou muito diferente para mim e para o povo daqui. Quando cheguei a Portugal na condição de Ressurrecta, tinha a mesma idade da saída daqui, vinte e dois anos. Passaram, então, sete anos por lá, mas aqui o calendário correu diferente. Foram quarenta e nove anos, por isso está todo mundo mais velho e eu, quase a mesma.

Miguel lembrava de tudo, Jorge me contou. E esperou por uma resposta.

— Ele não sabe quem eu sou. Não sabe que tu voltaste.

— O que ele acha que aconteceu?

— Que morreste e os Encantados sumiram com teus restos mortais. Tu deverias encontrá-lo.

Essa proposta era algo que eu não poderia supor nem esperar. Jorge me pedia que fosse encontrar Miguel, agora um senhor idoso, meu ex-namorado, o homem que me amou e esperou por mim. Jorge estava mais pedindo do que sugerindo, por piedade desse homem.

— Ele disse muitas coisas surpreendentes sobre ti.

— Como o quê?

— A morte do padre. Sabes que se agarrou à Labareda e na luta com o padre lhe deste uma punhalada?

— Sim.

— Em seguida correste para a igreja, pulaste na areia e sumiste. Ninguém sabe explicar.

— Eu rezei a Oração para Desaparecer, dos tremembés. Fui para outra cidade com o mesmo nome, a outra Almofala. Foi um acaso. Minha mãe disse que a oração funciona de maneira diferente para cada pessoa. Que no meu caso eu precisava ir.

— Para escapar?

— Para não ser presa ou morta. A vila não gosta de mim.

— E todos conhecem essa oração?

— Não, só poucos. Tomei um banho no lago e pude lembrar como eu soube dessa oração. A Menininha. Aquela menina, de que já falei tanto, ela estava comigo e soprou a oração para que eu repetisse.

— Quem é essa criança, já sabes?

— Uma Encantada.

— Ainda não percebo bem os Encantados daqui, mas sei que tu tens algum feitiço. Disseram que namoravas muito. Deixavas os homens apaixonados, inclusive os comprometidos.

— Namorava muito? A palavra é essa?

— Não. Chamam-te de prostituta, mas é um agravo piorado pela situação. Para mim és alguma encantadora de mentes e de alguma maneira eu sabia disso. O que sabes fazer no corpo de um homem é mágica.

— Soube que me chamam de feiticeira no pior sentido e têm medo de mim.

— Ouvi isso também. Além de conversar com Miguel andei pela cidade, falei com muitas pessoas perguntando sobre ti e dizendo que era uma pesquisa sobre o desaparecimento e as coisas místicas daqui. Há muitas versões, anotei todas. Feiticeira, prostituta, bruxa, filha do demônio.

— Eu não sei muito o que pensar, Jorge. O que eu fui me orgulha e me envergonha, o que sou me aparece pelo olhar do outro e cada um tem uma opinião distinta.

— Qual opinião te faz feliz?

— A dos tremembés. Aqui eu sou uma tremembé que enxerga os Encantados, que conseguiu fazer a Oração para Desaparecer funcionar. Nem todos que rezam conseguem, eu fui longe, salvei a Labareda. É por causa dela que os tremembés ficaram aqui e estão até hoje. E no meu desaparecimento tiveram a esperança de que a força dos Encantados é imensa. Eles sabiam que eu estava viva e voltaria. Vinguei o massacre de muitos.

— Talvez seja muito cedo para ter certezas, tantas certezas. É hora de ficar onde seu coração se fortalece, aqui com eles.

— E você, Jorge?

— Estou confuso. E fascinado. Queria conhecer uma Ressurrecta e isso está acontecendo de uma forma mais profunda do que eu previa. Porque nos envolvemos, nos casamos, passou dos limites da curiosidade e da pesquisa, o campo do amor é obscuro e exige coragem.

— O pior talvez não seja isso, estar confuso.

— O que achas que é pior?

— É ter se apaixonado por uma mulher que não existe além dos papéis falsificados por Félix Ventura e agora descobrir que a mulher real é muito diferente do que você imaginava. Uma assassina, com fama de prostituta, que promove desgraças, que seduz homens casados, feiticeira do diabo, ladra de santos de ouro. Essa não é a pessoa que você amou. Gostaria de saber, quando decidir, o que pretende fazer no seu retorno a Portugal. Sei que precisa de tempo.

— Preciso voltar por causa do trabalho, combinamos isso. Na verdade eu é que devo perguntar o que pretendes fazer agora.

— Prometi à minha mãe que ficaria até o Dia do Silêncio dela.

— E estás certa. Só tenho uma última coisa a te pedir antes de ir.

— Pode pedir.

— Quero ir contigo à igrejinha. Ir ao ponto onde começou essa hierofania.

— Não sei se devo, as pessoas da cidade querem a minha morte.

— Estarei contigo.

— Preciso saber, Jorge, o que você está pensando disso tudo, de mim, de nós dois.

— Pensar não consigo tanto. Sentir é uma palavra mais adequada.

— E o que sente?

— Que eu também amo Joana Camelo, com todos os seus feitiços.

4.

Ó Deus, cria em mim um coração puro e dá-me uma vontade nova e firme, clamava o padre, Salmo cinquenta e um, enlevo sobre a vida como dínamo de mudanças, é possível mudar tudo. É possível transformar totalmente qualquer realidade com a fé pura em Deus, com a crença de que Ele fala conosco e orienta os nossos passos. E eu pensava no absurdo que vivi, sem ordem, sem anúncio, sem entendimento, contando apenas com a paciência de atravessar os dias e aguardar que a força fosse suficiente para atingir a noite, mais uma noite, mais uma noite. Não é só questão de fé, se fosse ninguém sofreria, nenhuma mãe perderia um filho, nenhum amor se acabava.

Entrei com Jorge Momade na igrejinha e fiz o sinal da cruz desde a entrada. Escutei muitas vozes, sempre mais do que os vivos que estão ali. Vi pessoas fora da igreja, olhavam para mim. Os mortos sempre sabem quem eu sou. Estavam estupefatos, chamavam alguém que estava pelo muro de trás.

Procurei um banco para me sentar e queria estar ali tanto quanto tinha medo. Vi o ponto exato onde rezei a oração, lá no altar, logo depois de pegar a santa, onde pulei no colchão fofo de areia que me tragou de imediato. Só a Oração para Desaparecer poderia me salvar de alguma forma, não previ que fosse assim. Eu só queria não morrer.

A igreja é muito pequena, todos se conhecem, não demorou para que alguém olhasse para nós dois. A beleza de Jorge Momade, um homem que ocupa o seu espaço com tudo o que tem de melhor, o sorriso e o cheiro, a cor das roupas e a voz. Impossível que ele chegue e ninguém olhe, viram a mim ao seu lado e aos poucos meu rosto apareceu como uma miragem.

Na confusão de me reencontrar, Jorge me deu a certeza mais forte do amor que sinto por ele e da absoluta impossibilidade de viver longe. Não posso. Não quero viver separada dele. Jorge me chamou de Joana. Será impossível esquecer Aparecida, sua Cida, separá-la de mim, mas Joana Camelo é quem sou. E ele sabe.

Se antes eu era a Ressurrecta idealizada, a testemunha e o corpo de um encanto anunciado a ele desde a infância, agora eu era uma pessoa completa, e no meu catálogo de pedaços havia muitos erros. A paixão alimenta a ilusão de que o outro pode ser perfeito, pode ser quase perfeito, pode ter falhas imperceptíveis, e quanto menos se prepara no amor a um outro ser humano, falho e complexo, mais há sofrimento.

Jorge não estava sofrendo, e sua reação talvez fria, talvez distante, talvez racional, me fazia ter medo de perdê-lo, e essa foi a primeira vez que senti isso. Começamos como casal que se encontra porque a vida armou dia, mês, ano, hora; que se encontra porque estava escrito, dizem que as palavras determinam o fado, sem ideia de quem as escreve, de quem decide, ou se nós decidimos, até que ponto há ilusão na ideia de controle da vida.

Jorge olhava a igreja enquanto eu olhava para ele.

Pensava no quanto o amo. Não tivemos sobressaltos no nosso começo, ele sempre compreendia meus lapsos de memória, minha ignorância quase infantil para as coisas, o nome das cidades, das comidas, das pessoas, a lógica básica dos sistemas, ele me ensinava tudo com dedicadíssima paciência. Ouvia minhas crises de choro, tantas angustiadas e sem razão evidente. Poderia ser uma lembrança que me alcançava sem forma, eu chorava por horas e ele estava ali. Primeiro abraçado, depois fazendo as coisas simples que me aliviavam, pegando sorvete, ligando a televisão, contando uma história boba de fazer rir, qualquer uma, armando um passeio.

Desde o primeiro dia em que nos conhecemos ele cuida de mim, nunca me deixou sozinha em um momento difícil, dando um jeito para superar barreiras impossíveis, estar em casa mais cedo, telefonar mais naquele dia ruim, escrever um bilhete, um poema, deixar um papel com três linhas escritas na mesa, perto da minha xícara, modificando o sentido das palavras ao organizá-las daquela maneira nova.

Também pensava, enquanto o padre falava do pecado, no quanto eu dependia do corpo dele para sentir que continuaria viva, sim, que meu corpo era capaz de preservar o fluxo de sangue até o limite, da respiração até o sufocamento. Bastava tocar sua mão, seus dedos na parte interna do meu braço, uma observação com sua voz baixa no meu ouvido, no meio de outras pessoas, bastava isso para que algo descarrilhasse, saísse da minha possibilidade de controle. O beijo de Jorge era meu desejo constante, um pedido do corpo, mesmo quando eu tentava me concentrar em outra coisa, cuidar de uma ocupação cotidiana, meu corpo pedia e se preparava para a sua chegada, para que me invadisse, para que eu fizesse o de sempre: deslizar sobre ele, seus olhos espantados com meu rosto transtornado, as coisas que eu pedia, que sussurrava, a queda ao final.

O padre não imaginaria nunca que eu, se pudesse, me deitaria sobre Jorge naquela igreja à noite, palco da minha agonia, lugar onde submergi para não ser presa ou morta, condenação dos meus anos ao esquecimento. Desejei uma vingança, pois deve ser pecado entrar em uma igreja na madrugada, tirar a roupa e se sentar sobre um homem, devagar, em ondas, simular os barcos, simular todas as embarcações que por ali já chegaram enfrentando tempestades, sentir a tempestade no ponto exato onde me prendo a ele, no meio da igreja, sim, no altar, sim, não acredito que os santos se ofendam. Isso que eu sinto com Jorge não foi invenção minha, estava adormecido dentro do meu corpo e despertou porque ele me tocou um dia. É um outro espírito que fica guardado, fogo apagado que Jorge acende. O amor é o Encantado mais forte e eu amo Jorge com meu corpo inteiro, cada pedaço meu pede uma devoração distinta, ele sabe sempre, terminamos navegando, sempre no estrondo dos trovões e assim seria na igreja, porque eu não estaria no controle do quanto eu pudesse gritar, eu digo que o amo de muitas maneiras, uma delas é deixando que esse Espírito do Fogo assuma meu corpo para que sejamos felizes, a aldeia ouviria e pensaria que talvez fosse a duna voltando de novo para cobrir a deusa branca de Almofala, pois o que mais poderia ser? Na madrugada, um tremor, os gritos de uma mulher, o que mais poderia ser além de uma assombração que volta? Fantasiei tudo e por isso não notei que me olhavam e diziam que voltei, ela voltou, a maldição voltou, o que será de nós.

Parece a Joana Camelo, a puta endiabrada, a assassina. É igual à Joana Camelo, não pode ser ela, é a alma dela, é uma mulher parecida, quem é esse homem, quem é esse? O espanto seria o fato de que eu não mudei muito, aqui o salto de tempo foi muito maior do que pra mim, sou a mesma daquele dia em que briguei pela Nossa Senhora da Conceição, tomei das mãos do padre, enfiei o punhal na sua barriga, fui perseguida e esfaqueada até pular na areia e desaparecer.

Joana Camelo voltou, eu escutei. Joana Camelo voltou e as pessoas estavam inquietas, desesperadas, com medo de mim. Jorge disse que era melhor irmos embora, o padre não conseguiu terminar a missa e saímos de lá correndo, eu via mortos e vivos, e na parte de trás da igreja estava o padre Alfredo, o homem que matei, ainda usava a batina preta, ainda usava a mesma roupa do dia da morte e estava cercado de pessoas. Não me alcançariam, não fariam nada comigo porque ali eu também estava cuidada pelos meus Encantados, os tremembés de antes, muito antes de mim, me protegiam e me conduziram para longe. Jorge me levava pelo braço, decidido, sabendo o caminho que eu desconhecia. Almofala estava diferente, mas sei que caminhávamos para o mar, pelo coqueiral nativo, os Encantados atrás de mim. No caminho encontramos uma moça que Jorge tratou por Helena.

— Esta é a neta do Miguel — ele disse.

O olhar da moça era de maravilhamento, de quem não consegue crer, e Jorge me explicou que, por todos esses anos, ela cuidou em segredo da casinha dos cavalos-marinhos, o lugar onde eu me escondia para passar a noite com Miguel.

— Acho que é melhor a senhora ficar lá um tempo, até o povo acalmar. Todo mundo está falando da sua volta, acham que é assombração, chamaram a polícia para o caso de estar viva.

— Por causa da morte do padre Alfredo?

— Sobre isso não podem fazer nada — ela disse —, é um crime muito antigo, não há como reabrir um processo, não há como justificar nada se sua aparência é de vinte e poucos anos e no tempo dos homens a senhora teria outra idade, é absurdo.

Enquanto ela falava eu pensava em Miguel e criei coragem para perguntar onde ele estava, como estava de saúde.

— Ele está na casinha, esperando pela senhora.

Quis dizer que não, que seria melhor não ir, mas já estávamos andando porque eu precisava me afastar ao máximo da igreja. Eu devia me esconder com minha mãe, longe da vila, para ter segurança. Que minha aparição em pleno Salmo cinquenta e um fosse só uma miragem coletiva, que ninguém me encontrasse nunca, tocasse em mim e visse que ainda sou de carne e osso, da mesma carne que Miguel amou. Encontrá-lo talvez faça parte das coisas que preciso fazer nesse retorno, eu pensava e andava, com Jorge e Helena, caminhávamos pelo coqueiral, eu reconhecia a rota, o som do mar, era tudo meu. De longe eu já vi a casinha, os paus de marmeleiro, a palha por cima, o tom vermelho do barro, a cor dos meus sonhos mais fortes, as estrelas, de repente eu estava diante da porta, fechada. Helena disse que eu empurrasse, estava destrancada, Miguel me esperava. Um pequeno gesto na madeira carcomida pela maresia me levou de volta a um tempo ocre, aos bichos do mar. Não entrou ninguém, só eu. Miguel estava sentado em uma cadeira, de frente para mim, paralisado pela incredulidade de ver acontecer o que parecia impossível por todos esses anos. Sentei-me diante dele, em outra cadeira que já estava posicionada ali, à minha espera, por quarenta e nove anos.

5.

A casa estava exatamente igual à lembrança dos meus sonhos. Os cavalos-marinhos e as estrelas-do-mar nas paredes, a cama improvisada, o colchão de palha. O tom vermelho que inundava nossa pele quando havia lua ou luz das velas oscilando na nossa minúscula casa, tudo ali e, ao mesmo tempo, nada.

A diferença de idade que o mistério do meu desaparecimento nos impôs era um estranhamento insuperável, pois não éramos mais os amantes de antes. Mesmo a sós com ele, meu sentimento era de compaixão.

— É assustador — ele disse. — Eu me perguntava quem fez isso contigo, de que ponto do mal veio essa força que levou você de mim. Teríamos vivido juntos, você seria a mãe dos meus filhos, mas o vento destruiu tudo.

— Você conseguiu construir uma família, Miguel, teve uma vida normal, em linha reta, no domínio dos seus pensamentos. Isso é muito.

— Não fui infeliz. Tenho família, sou amado, mas nunca consegui deixar Almofala porque esperava voltar. Viver na esperança de que uma morta voltaria não é vida normal.

— Mas o que você achava que poderia acontecer?

— Eu não sabia. Quem me garantia sua vida eram os sonhos, falei deles com sua mãe uma vez. Você dizia que estava viva, nós fazíamos amor, eu chorava muito quando acordava e via que não era real.

— O sonho é o olho das almas. Era real. O que minha mãe dizia sobre isso?

— Eu contei a ela, sem detalhes, disse que nos sonhos eu te amava e que acordava com todos os sinais de que meu corpo tinha estado com o seu de alguma maneira, inclusive o cheiro de óleo de coco.

— Eu não usava em Portugal, mas também sentia o cheiro adocicado quando sonhava.

— Passei muito tempo descontente, infeliz, vivendo só pela espera de dormir e te encontrar de novo. Isso passou, foi mais nos primeiros anos. Agora ficou o espanto. O tempo foi suficiente para esquecer, mas não consegui. Com o tempo não era mais a paixão, mas a dúvida, a demanda absurda de não entender o que fizeram conosco. A cidade me odiava também, porque sabiam que eu sofria por você, que tinha os seus objetos e que tive um empenho pessoal para desenterrar a igreja, limpar tudo, achar algum resto seu. Os sonhos me perturbavam e consolavam, porque eu adorava te reencontrar tanto quanto tinha a certeza de que você estava viva. Havia a teoria de que você tinha fugido, por ajuda dos enganos dos feitiços, mas nunca se provou, nunca se soube nada, até que encontramos os restos da sua roupa e dos seus objetos na igreja.

— A frase que você disse, os ossos de Joana não estão lá, é muito impressionante. Jorge me contou tudo.

— Jorge é um bom homem, você também teve sorte.

— Sim.

— Ele me contou da sua vida em Portugal, da família que te ajudou e acolheu. Da história dos Ressurrectos. Por fim, você soube o que aconteceu?

— Minha mãe disse que foi porque rezei a Oração para Desaparecer, uma reza de envultamento. O efeito foi mudar para uma aldeia longe daqui, mas com o mesmo nome. Foi a palavra Almofala que definiu meu destino.

— Jorge disse que são sete Almofalas em Portugal. O mundo é imenso, costurado pelas linhas do paradoxo. Como eu poderia imaginar isso? Soubesse, teria ido te encontrar.

— A Oração para Desaparecer protege do perigo. Eu precisava ficar isolada.

— Fui conduzido por sua luz, Joana, um brilho cego de paixão que me levava mesmo sem enxergar. A sua partida fez do meu amor uma doença. Mas não me arrependo, nem por um minuto. Fomos muito felizes.

— Fomos muito felizes, eu sei.

— Mas ao mesmo tempo aprendi que não se deve perguntar nada ao destino. Ele nos castiga quando não confiamos, a fé precisa ser cega ou a vida pode ser traiçoeira. No dia em que parei de te esperar nas madrugadas, consegui retomar a paz.

— Eu estou aqui para te agradecer por ter respeitado a minha memória. O enterro, os objetos guardados, eu soube de tudo. Achei bonito estar viva para você, quando lá eu sofri tanto pelo apagamento da minha vida inteira.

— Você faria a mesma coisa por mim, se eu sumisse no mar.

— Agradeço por seu amor. De alguma forma eu sentia de lá. Quando sonhava com você, tinha um dia de paz.

— O mesmo comigo. Acho que nos encontrávamos.

— Eu tenho certeza. Mas depois parou.

— Vivemos tempos muito distintos desde que parti, eu não consigo entender o calendário, bater as datas, é confuso.

— Pelo calendário de sua vida aqui você faria setenta e um anos.

— Eu tenho vinte e nove.

— Teria setenta e um. Ganhou mais vida. E acho que você devia celebrar, de qualquer forma. Jorge disse que vai embora amanhã. Você vai com ele?

— Ficarei com minha mãe até o último momento.

— E depois?

— Não sei. Os Encantados me dirão alguma coisa.

— Sim. Não os questione.

— Aprendi o mesmo que você. Não há como controlar a vida quando o que tem que ser vem com força.

— E o que você acha que tinha de ser?

— Aprender que sou forte. Esquecer que sofri. Ter coragem. Entender que às vezes a única coisa que podemos fazer é o melhor possível, mesmo que pouco, dentro do dia que estamos vivendo.

— E amar.

— Amar eu sempre soube e isso me salvou. Florice, Fernando, Fátima, Lourdes, os idosos de Aboim da Nóbrega, Félix, Jorge. Sobretudo, Jorge. Foi no amor deles que sobrevivi.

— Você merece a felicidade.

— Você também, Miguel. E sei que é feliz.

— E agora tenho paz, porque estamos aqui de novo. Mas decidi destruir a casinha ainda hoje.

— Você cuidou dela todos esses anos. Por que destruir agora?

— Eu não cuidei, foi Helena, minha neta. Ela sabia de tudo e preservou a casa. O povo tem medo, nunca entravam aqui. Às vezes ela vinha, deixava uma vela acesa enterrada na areia, rezava por você. No começo eu vim, muitas vezes. Dormia aqui, chorava aqui, gritava contra as ondas, contra as nuvens, contra tudo o que diziam ser obra de Deus, esse mesmo que levou de mim o grande amor.

— Talvez seja bom mesmo queimar a casa. Essa vida que está aí não é mais a nossa. Você me deu o amor devotado que toda mulher sonha em ter. Quero guardar comigo sua lembrança.

Nessa estrela-do-mar e nesse cavalo-marinho, que levarei para sempre, para onde eu for.

— Trouxe querosene e fósforos. Vamos atear fogo.

— Será uma grande labareda na praia. No fim de tudo, é sempre o fogo que me guia.

— O vento apaga as chamas pequenas, mas agiganta as fogueiras.

— Depois de queimar a casa voltarei para a minha mãe e de lá não sairei. Não sei o que vai acontecer, não sei se ainda nos veremos. Agradeço o seu amor. Por pensar em mim por tanto tempo. Por guardar em segredo os nossos dias de felicidade. Por lutar pela minha memória, por sofrer em silêncio, eu te agradeço por tudo isso. E desejo que a vida seja generosa com esse novo tempo que agora começa. Estamos vivos, Miguel. Por favor, não chore. Há uma vida nova pela frente.

Era tão alto e forte e sofrido o choro de Miguel que Helena entrou para abraçar o avô, trazê-lo para fora. Saí, abracei Jorge e disse que decidimos queimar a casa. Ajudamos Miguel a sair, como era estranho reconhecer naquele homem idoso traços do homem que amei em outra vida.

Jorge pegou o querosene e os fósforos, pediu que nos afastássemos e fez questão de atear fogo naquela casa com suas mãos. Rapidamente as chamas tomaram conta das paredes, do teto, uma labareda gigante na beira do mar.

Estava anoitecendo e a fumaça na praia confirmou o que Almofala já dizia aos sussurros: Joana Camelo estava de volta, ressuscitando todos os medos e as maldições. Enquanto andávamos em direção à vila, o povo vinha no contrapé e nos olhava, estupefato. A maioria nem sequer era nascida quando tudo aconteceu, eram crianças, no máximo, e por isso não sabiam como agir diante da morta-viva que voltava.

Agora que todos já sabiam, eu precisava ir à casa de Doralice, mas Helena me contou que ela tinha morrido alguns anos antes. Deve ter sido no dia em que sonhei com ela. O tempo passou para mim de uma maneira estúpida. Voltamos, então, à igreja. De longe pude ouvir o canto tremembé, dançando o Torém lá em frente, no lugar que sempre foi nosso.

Helena me contou que todas as pessoas na cidade sonharam comigo na mesma noite, quando cheguei. E desde então sabiam que algo estava para acontecer.

— Estão todos com muito medo, Joana, medo do que sua volta poderá causar.

Meus parentes vieram me proteger dos insultos que começávamos a ouvir. Eu escutava mais, pois dos mortos também vinham os gritos de ódio, o padre estava lá e eu lamento se tive que matar aquele homem para salvar minha vida. E para que serviu, então, tudo isso que nos ocorreu? Matar um homem, entristecer tantas pessoas, ser um nome amaldiçoado, ter a vida suspensa? Perder o abraço de Doralice. Perder uma vida inteira com minha mãe, que já está de partida.

Eu entendia as músicas do Torém, lembrava todas. Compreendia perfeitamente o Poromonguetá e me aproximei com Jorge, para dançar também. Jorge repetia os passos como se conhecesse desde sempre. Dançar o Torém com ele fortificou o amor no meu peito; por mais que estivesse confusa, sabia o tanto que o queria.

— Ainda quero a nossa vida, Jorge.

Sua resposta foi dita com calma, no meu ouvido.

— Eu voltarei para te buscar, Muthiana Orera. Quando estiveres pronta, me avises.

A língua de fogo na praia não parava de arder, a labareda dos antigos tremembés, do tempo em que a areia era nossa, as lagoas, os cajueiros nativos, essa terra toda, como um dia voltará a ser.

6.

Jorge, meu amor,

Anteontem minha mãe iniciou o Silêncio e eu queria muito que você estivesse aqui. Aconteceu como ela avisou, estávamos todos preparados e fortes, ou tentando estar. Talvez eu seja a mais sofrida por entender menos, por ter perdido tanto tempo da convivência com ela. Passamos todos os dias anteriores fazendo limpeza espiritual, às quartas, quintas e sextas. As sessões de mesa acontecem às terças e sextas. Observei os detalhes para te contar: as conchas do mar no pé do mourão, o uru cheio de garrafas de mocororó, as duzentas e vinte e duas doutrinas dos encantes. Cada canto de limpeza a gente entoa nove vezes, tudo de três em três, nas horas abertas. As receitas de chá, de mel, de garrafada, dos banhos, é tudo com três ou nove, sempre.

Faço os banhos de limpeza, além dos cantos, porque sou eu que vou receber a Oração para Desaparecer. Relembrar o que um dia eu soube. No canto dos rituais eu me sinto mais lúcida. Quando ela avisou que estava chegando o Silêncio, os Encantados foram tomando parte e fomos à casa de cura. Os troncos velhos sempre conosco, até a porta, e minha mãe rezou para o seu protetor, o príncipe Rafael. Acomodamos seu corpinho fraco e já miúdo em um colchão preparado para isso. O mesmo onde me colocaram quando cheguei, para me recuperar do adoecimento que tomava meu corpo. Ninguém poderia ficar lá, só nós duas, sem cambone, sem nada. Era a hora de ouvir a Oração para Desaparecer.

Ela rezou para o príncipe Rafael, o Guajura, o rei Escamundá, algo de sagrado que se nos revela. Sou da linha do mar, ela disse, tudo o que é da água me protege, e foi assim que ela pediu licença para me dizer a Oração, a reza secreta. E me disse. Rezou nove vezes. Depois eu rezei nove vezes, até decorar de um jeito que está para sempre na minha cabeça, agarrou-se na minha boca, nunca vou esquecer.

Terminei a nona reza e sabia. Dali eu sabia que iria escutar sua voz pela última vez e teria de prestar atenção no que ela dissesse. Foram duas coisas. A primeira é que ainda precisarei lembrar de alguns fatos. E eu lembrei.

Na última conversa que tivemos antes da viagem, você disse que não entendia como eu posso ter ido por baixo da terra se havia um mar no meio. Tão impressionada com isso, sonhei.

Eu nadava no fundo do oceano e tinha medo. A voz daquela Menininha respondeu que há monstros, claro que há, eles estão por toda parte e os abismos do Atlântico são a casa das sereias, manatins, dos ciclopes, ciápodes, as serpentes marinhas, tubarão-cobra, peixe-ogro, peixe-víbora, os seres bentônicos. E outro navio naufragado adiante, as pessoas me ajudavam apontando, mulheres com farrapos de vestidos, ou nuas, homens e crianças, todos despidos e mortos, porém ativos no cuidado, sinalizando o breu, o poço de medo do mundo.

Não sabemos nada mesmo sobre o mundo, olhamos o mar na mais absoluta ignorância, enxergando as ondas e nada mais, porque há sempre muito mais nas profundezas de tudo, mas só o tempo e a coragem nos levam até lá. É só no profundo de tudo que se esconde a verdade. E a verdade do mar é que não há vida sem perigo.

Olhe os monstros nos olhos, uma voz disse, os náufragos não olharam.

No outro pedaço do sonho eu subi à superfície, a cabeça fora da água, só o oceano por todos os lados e a santa quebrada boiando comigo e nas minhas costas o sol nascendo, manso e bonito, minhas pernas sustentavam o nado enquanto eu via chegando perto de mim um barco. Mais perto, mais perto, até enxergar o nome no casco, reconhecer as cores e as pessoas, o *Coração do Mar*, as pessoas do *Coração do Mar* me trouxeram para cima, deram água fresca e quando vi estávamos no Douro, o rio do Ouro, eu via a margem, as pontes, o porto. Cantavam entre eles e não falavam comigo, entramos pelo mar e achamos o rio, cuidavam da santa, rezavam para ela, rezavam e olhavam para que eu rezasse, o navio do tempo, que partiu de mim e me levou. Não consigo mensurar por quanto tempo estive com eles, mas tenho muitos recortes de lembranças, as músicas e o zelo, as risadas, a Menininha conosco. Lembro de algumas comidas, a suculência dos tomates, a carne salgada dos peixes, o sabor de azeites deliciosos, sucos doces, um turco que estava no barco fazia suco de tâmaras que me dava alegria, do tempo no *Coração do Mar* ficou guardado o sabor.

Depois, tudo escuro, já senti que meu corpo começou a perfurar a terra da margem e me vi no mesmo lugar de onde fui resgatada, o buraco que parecia a cova da morte. Foi assim o meu sonho. Da verdade da travessia, jamais saberei.

Agora é despedida. Serão três dias de Silêncio e depois ela irá embora, a qualquer momento. Estou ao lado dela. Faremos os nossos rituais para que o seu descanso, nascer e morrer sejam forças semelhantes. Os tremembés sabem o que fazer na hora da morte, estamos preparados no entendimento do que é o Encantamento. Morrer é envultar-se.

Antes dela vieram tantos que já partiram: dois pais, quatro avós, oito bisavós, dezesseis trisavós, trinta e dois tetravós, sessenta e quatro pentavós, cento e vinte e oito hexavós, duzentos e cinquenta e seis heptavós, quinhentos e doze oitavós, mil e vinte e quatro eneavós, dois mil e quarenta e oito decavós, quatro mil e noventa e quatro ancestrais em onze gerações passaram por mim no prazo de trezentos anos antes do meu nascimento. Todas essas despedidas também fazem parte de mim e de quem sou.

A segunda coisa que ela me disse antes do Silêncio foi a Oração. E sentenciou que eu sou livre para decidir onde ficar porque sou uma alma do mundo inteiro. Tive a permissão de ter uma segunda chance, de viajar para ser salva. Onde eu for, serei feliz, ela disse. Baixei corrente, abri trabalho, agora eu sei as rezas e escuto os encantes. Sempre escutei, mas agora sei. Mas sou livre, ela disse, e isso me deu alívio.

Ontem Félix Ventura me telefonou. Sumiu porque foi necessário, algo complicado aconteceu com um cliente. Soube que eu estava em Almofala porque a notícia do retorno da mulher brasileira que desapareceu em uma igreja enterrada na areia já está em vários jornais do mundo.

Agora eu sei o que é ser essa mulher brasileira, aquela pergunta que tantas vezes me fiz. A igreja de Almofala, onde fui deixada por minha mãe e de onde renasci para a vida nova, é o meu Brasil. Eu o vejo ali, nos mortos que rondam as paredes brancas, nos cantos das três raças que eu escuto, na Encantaria, no nosso Torém no adro, Nossa Senhora da Conceição é a Oxum africana, é a Labareda tremembé. E eu, Joana, sinto orgulho da força da alma brasileira que abrigo no meu corpo.

Ao contrário do que dizem os jornais, nada mais me parece espantoso. Mas confesso que há algo que me impressionou de uma maneira tão absurda que não consigo descrever. Quando minha mãe me mostrou as fotos da minha infância, começou por uma da turma da escola. Vi, entre as crianças, a Menininha e perguntei quem foi ela. Na próxima foto estava a resposta: a Menininha sou eu, na idade em que morri e voltei pela primeira vez, quando fui atacada na infância por um homem disposto a me violentar. O espectro que me guiou e ajudou o tempo todo é um pedaço de mim que acredita na luz.

Acordo todos os dias querendo te contar meus sonhos, ouvir sua voz, porque você me faz muita falta, como se nunca tivéssemos vivido separados antes.

Só posso fazer uma coisa agora: renascer mais uma vez. Não vou parar de renascer nunca e acho que é assim com todos nós. Já morri duas vezes nesta vida. Hoje eu morro no silêncio dela, morro quando se acaba sua voz, mas não para sempre. Estarei aqui até o fim do caminho da minha mãe, depois sigo o meu. A sua estrada é linheira, ela disse, é tão longa e você tem pés firmes no chão.

Almofala é meu berço, mas você é o lugar para onde quero voltar agora. O barco de cada um está em seu próprio peito e o sota-vento que me leva é o amor. Pensei na primavera da vida quando vi dois vaga-lumes, nós dois rutilando quando estamos juntos. Há uma alegria na nossa alma, tenho saudades. No feitio do amor, a santa força do corpo determina a felicidade e o destino. Meu tempo de felicidade adiante quero dividir contigo, companheiro da minha estrada linheira.

Estou esperando que você volte e me busque, dessa vez sua Joana, dessa vez quem sou. Minha mãe está partindo e me disse, perto de silenciar para sempre, que eu tenho que aprender a viver em estado de sim. Que, quando eu estiver em um momento bom, devo ficar completamente nele, não sair dali, assentar o Orí na beleza da vida, não deixar a cabeça levar para nenhuma parte que não seja estar feliz, inteira no que eu sinto, porque depois pode ser esquecimento. Vai ser. Só não se sabe quando. Ela disse também que o grande erro da vida é perguntar para onde vamos. Isso não importa. O certo é decidir com quem.

Eu, Joana Camelo, uma alma brasileira, emprego travessia por baixo do mar, furo a terra e sou liberta, vejo os mortos e adivinho dos vivos, tenho a companhia das princesas do mar e dos lagos, ando por onde quiser sem medo, com a flecha certeira de fogo que clareia a floresta mais escura. Sou livre neste mundo e posso abrir qualquer caminho, mas escolho, porque quero, toda vereda que me leve ao estado de amor. O amor, o fogo mais antigo. A única força que dissolve e recria o tempo.

Oração para Desaparecer

Sou Pássaro do Senhor e abro as asas do milagre
Sou Peixe do Senhor e singro o mar em tempestade
Sou Passo em terra santa que nunca anda em descaminho
Sou Semente que renasce vestida em flor sem espinho
Sou Grão de Areia que Deus vê, sopra e liberta
Sou Coração que louva a Deus na hora aberta
Sou Criatura Divina e oferto o corpo à Salvação
Sou Pensamento que firma meu nome na escuridão
Sou Olho do Infinito que vê o tempo estremecer
Sou Boca que reza nove vezes a Oração para Desaparecer
Sou Corpo que envulta em nome da Glória de São Jorge
Sou Alma Livre que desenvulta em terra nova e boa sorte
Sou Voz que canta toda canção da alegria
Sou Luz que acende a fé de todo dia

Agradecimentos

Comecei as primeiras pesquisas sobre os temas que estão neste livro em fevereiro de 2006, em Portugal. Escrevi, reescrevi e revisei entre outubro de 2016 e dezembro de 2022 — em Aboim da Nóbrega, Fortaleza, Almofala (no Ceará), na outra Almofala (em Portugal), Lisboa, Porto, Beja, Óbidos, Bogotá, Maputo, São Paulo, Dubai, Sharjah, Pacoti, Salvador até o ponto-final em Fortaleza. Contei com muitas pessoas neste percurso, e pela generosa ajuda, agradeço:

Às minhas filhas Beatriz e Camila, porque são a graça, a força, a luz e a alegria da minha vida;

Às minhas editoras Julia Bussius e Stéphanie Roque, pelo trabalho competente e amoroso comigo e com este texto;

A José Eduardo Agualusa, que me emprestou seu personagem Félix Ventura e acompanhou a escrita deste trabalho sempre me dando ânimo e coragem;

A Alexandre Vidal Porto; Ana Maria Parra; André Aires; Maria Auxiliadora Ponte Albuquerque Saraiva; Clara Flaksman; Clube de Leitura Livros e Vinhos; Dominique Lonchant (in memoriam); Dona Delmira, de Tatajuba; Dona Elita Tremembé (in memoriam); dr. Jacinto Brito Lança (in memoriam) e Ana Brito Lança; Fernando (de Aboim da Nóbrega); Frei Betto; Heloisa Starling; Henrique Sá; Iana Soares; Itamar Vieira Junior; Ivna Girão; Ivone Girão; João Daniel Almeida; Júlio Camilo; Manoel Calixto de Alencar (in memoriam); Maria das Graças Oliveira Acioli (in memoriam); Mia Couto; Miguel Pirateque; Moreno Veloso; Nádia Maia; Leane Landim; Luciana Gifoni (que me falou da igreja de Almofala pela primeira vez); Maria do Carmo Rocha Reis, Dona Carminho (in memoriam), e família; Milton Hatoum; Patrícia Gomes; Pilar del Río (que me autorizou o uso dos títulos O Livro dos Itinerários e Livro das Visões, de José Saramago); Ronaldo Queiroz (que me contou que os tremembés rezam a Oração para Desaparecer e assim me deu o título do livro); Sávio Alencar; Schneider Carpeggianni; Sérgio Brissac; Sidarta Cavalcante; Stênio Gardel; Tâmara Bezerra; tremembés da Barra do Mundaú; tremembés de Almofala; Valter Hugo Mãe; Verônika Ferber Topic Eleuterio; Vitor Burgo.

1ª EDIÇÃO [2023] 12 reimpressões

ESTA OBRA FOI COMPOSTA POR OSMANE GARCIA FILHO EM ELECTRA
E IMPRESSA EM OFSETE PELA LIS GRÁFICA SOBRE PAPEL PÓLEN DA
SUZANO S.A. PARA A EDITORA SCHWARCZ EM ABRIL DE 2025